LE YOGA
DES BEATLES

LE SECRET DU VRAI BONHEUR

Entretiens exclusifs
avec
JOHN LENNON
et
GEORGE HARRISON

Traduit de l'anglais par :
Denis Bernier

BHAKTIVEDANTA BOOK TRUST

LE YOGA DES BEATLES
Le secret du vrai bonheur

English Version :
Chant And Be Happy
The Power of Mantra Meditation

Traduction et adaptation :
Priyabhakta Das (Denis Bernier)

Les personnes intéressées par la matière du présent ouvrage sont invitées à s'adresser à l'un de nos Centres (voir la liste en fin du livre)

Première édition
5 000 exemplaires

Publié à Montréal (Canada)
4ième trimestre 2005

Dépôt légal :
Bibliothèque nationale du Québec
Bibliothèque nationale du Canada
ISBN : 2-922202-28-3

DÉDICACE

Ce livre est dédié à notre bien-aimé maître spirituel et guide,

Sa Divine Grâce A. C. Bhaktivedanta Swami Srila Prabhupada,

le Fondateur Acarya qui a transmis l'enseignement transcendental du Seigneur Sri Krishna au monde entier.

TABLE DES MATIÈRES

HARE KRISHNA HARE KRISHNA KRISHNA KRISHNA HARE HARE
HARE RAMA HARE RAMA RAMA RAMA HARE HARE

1.

ENTRETIEN EXCLUSIF
AVEC GEORGE HARRISON

If you open up your heart
You will know what I mean
We've been polluted so long
Now here's a way for you to get clean
By chanting the names of the Lord
And you'll be free
The Lord is awaiting on you all
To awaken and see

(«Awaiting On You All ») [1]

Durant l'été 1969, avant la dissolution du plus célèbre groupe que le monde de la musique ait jamais connu – les Beatles –, George Harrison produisait le 45 tours «Hare Krishna Mantra», enregistré avec les membres du temple Radha Krishna de Londres. Peu après avoir atteint les premières places des palmarès d'Europe et d'Asie, ce mantra devint connu de tous, surtout en Angleterre où la BBC le présenta à quatre reprises sur l'émission télévisée la plus populaire de l'époque : Top of the Pops.

Presque en même temps, à 9 000 kilomètres de là, un groupe de jeunes femmes en sari et d'hommes vêtus de robes safran participaient à l'enregistrement de « Give Peace A Chance » – succès de John Lennon et Yoko Ono – dans une chambre de l'Hôtel Reine Élizabeth de Montréal. Depuis plusieurs jours déjà, les dévots du temple

---

[1] © 1970 Harrisons Ltd.

montréalais rendaient visite à John et Yoko, discutant avec eux de paix et de réalisation spirituelle. C'est sous l'impulsion de George que les Beatles entreprirent leur quête spirituelle dans les années soixante et aujourd'hui encore, le chant du maha-mantra joue un rôle tout aussi important dans la vie de l'ex-Beatle.

L'entrevue qui suit, réalisée en 1982 par Mukunda Goswami, ami personnel de longue date de George, nous révèle quelques expériences mémorables que connut ce dernier grâce à ce mantra, ainsi que les réalisations profondes qu'il en retira : George nous dévoile aussi ce qui le poussa à produire, entre autres, les disques « My Sweet Lord », « All Things Must Pass », «Living in the Material World», tous influencés par la philosophie védique. Il nous parle également de ses rapports avec A. C. Bhaktivedanta Swami Prabhupada, qui lui fit découvrir le «mantra de la grande délivrance».

George nous parle également de philosophie, de musique, de yoga, de karma, de l'âme, de réincarnation, de Dieu et du christianisme. Le tout se termine sur les merveilleux souvenirs qu'il garde de ses voyages et séjours en Inde.

*   *
*

Mukunda Goswami: Tu dis souvent être un dévot «en civil», un « yogi cloîtré », et des millions de personnes furent initiées au chant du maha-mantra par tes chansons. Mais comment en es-tu venu toi-même à connaître Krishna ?

George Harrison: Grâce à mes voyages en Inde. En 1969, John et moi possédions déjà le premier album de Prabhupada, *Krishna Consciousness,* que nous écoutions souvent car il nous fascinait. Voilà comment j'entendis le *mantra* pour la première fois.

Mukunda: Vous n'aviez cependant jamais rencontré les dévots. Pourtant, quand Guru dâs, Shyamasundar et moi sommes venus ouvrir un temple en Angleterre, tu en signas le bail et en 1973, tu achetas pour nous, dans la banlieue de Londres, le Manoir Bhaktivedanta, qui permet littéralement à des centaines et des milliers de personnes d'approfondir la conscience de Krishna. De plus, tu as aussi financé la première édition anglaise du *Livre de Krishna*, publié en 1970. N'était-ce pas un peu surprenant de ta part ?

George: Pas vraiment, car je me suis toujours senti à l'aise avec Krishna. Je crois que cela vient d'une vie antérieure. C'était comme un puzzle dont je devais rassembler toutes les pièces pour obtenir une image complète. Voilà pourquoi je me suis lié à vous tous quand vous êtes arrivés à Londres. Si je dois prendre position, je préfère être compté parmi les dévots du Seigneur plutôt que de faire partie des gens soi-disant normaux, qui ne comprendront jamais que l'être humain est une entité spirituelle, une âme. Et je me sens bien avec vous, comme si on se connaissait déjà. À vrai dire, ce fut tout à fait naturel pour moi.

Mukunda: Tu faisais partie des Beatles – sans doute le plus grand groupe de l'histoire de la musique pop – qui influencèrent non seulement la musique, mais toute une génération de jeunes. À sa rupture, ta carrière solo prit un départ fulgurant grâce aux disques *All Things Must Pass* – le plus gros vendeur en Amérique pendant sept semaines consécutives – et *My Sweet Lord*, qui occupa la première place durant deux mois entiers. Puis *Living in the Material World*, numéro un pendant cinq semaines au *Billboard*, se vendit à plus d'un million d'exemplaires. Le 45 tours *Give Me Love*, extrait de cet album, connut également un très grand succès. Le concert bénéfice au profit du Bangladesh, que tu as mis sur pied avec Ringo Starr, Eric Clapton, Bob Dylan, Leon Russell et Billy Preston remporta un succès fou, comme d'ailleurs le disque et le film *The Concert for*

Bangladesh. Tu as donc réussi dans la vie. Tu as vécu des expériences innombrables, mais dans un même temps, tu as entrepris une quête spirituelle. Qu'est-ce qui t'a incité à le faire ?

George: Tout a commencé avec notre vécu au cours des années soixante. Tu sais, battre tous les records de vente, rencontrer tous ceux que nous pensions intéressants, pour découvrir qu'ils n'en valaient pas vraiment la peine. C'était comme si après avoir escaladé un mur, tu réalises qu'il y a davantage au-delà. J'ai cru que c'était mon devoir de dire: « Vous pensez peut-être que la richesse et la gloire sont les seules choses dont on ait besoin, mais c'est faux. »

Mukunda: Tu dis dans ton autobiographie, *I Me Mine,* que la chanson *Awaiting On You All* parle de la récitation méditative de *mantras* appelée *japa-yoga.* Tu expliques que le *mantra* est « une forme d'énergie mystique encastrée dans une structure sonore » et que « chaque *mantra* contient un certain pouvoir dans ses vibrations ». Tu ajoutes que d'entre tous les *mantras,* « le *maha-mantra* est recommandé comme le moyen le plus facile et le plus sûr de réaliser Dieu en cet âge. » Quelles réalisations as-tu acquises grâce à cette pratique ?

George: Un jour, Prabhupada m'a dit qu'il faut autant que possible réciter sans cesse ce *mantra [Hare Krishna, Hare Krishna, Krishna Krishna, Hare Hare / Hare Râma, Hare Râma, Râma Râma, Hare Hare].* Or, seule la pratique nous permet de réaliser tout ce que cela procure, et le fruit nous vient sous forme d'extase, ou bonheur spirituel, lequel surpasse tous les plaisirs que peut offrir le monde. Voilà pourquoi j'affirme que plus on le récite, plus on veut le réciter car on se sent alors si bien, si paisible.

Mukunda: Qu'est-ce qui fait que ce *mantra* procure une telle sensation de paix et de bonheur ?

George: *Hare* est une invocation à l'énergie du Seigneur. La récitation – ou le chant – du *mantra*, nous aide à contacter Dieu, qui est la Source de tout bonheur, toute extase. Cette méthode permet donc de Le réaliser de façon tangible en élargissant le champ de notre conscience. Comme je l'ai dit dans l'introduction du *Livre de Krishna* de Prabhupada: « Si Dieu existe, je veux Le voir. À quoi bon croire en ce dont on n'a aucune preuve? La méditation et la conscience de Krishna nous font vraiment percevoir Dieu. »

Mukunda: Ce processus produit-il un effet instantané ou graduel?

George: Il faut un certain temps, mais le résultat est garanti, car c'est une voie directe pour atteindre Dieu. Elle nous permet d'acquérir une conscience pure et une perception supérieure à la conscience ordinaire.

Mukunda: Que ressens-tu après une longue récitation du *mantra*?

George: La vie que je mène me permet parfois de vraiment m'absorber dans le *mantra*, de sorte que plus je m'y consacre, plus c'est difficile pour moi de m'arrêter, car je crains de perdre la sensation qui m'envahit alors. À titre d'exemple, un jour au cours d'un voyage France-Portugal, j'ai récité le *mantra* pendant quelque 23 heures consécutives au volant de mon auto. Je me sentais presque invincible. Le plus drôle c'est que je ne connaissais même pas le chemin. J'avais une carte et je savais grosso modo dans quelle direction aller, mais je ne parlais ni français ni espagnol ou portugais. Mais tout cela n'avait guère d'importance. Tu comprends, dès que tu t'absorbes dans ce *mantra*, les événements revêtent un caractère transcendantal.

Mukunda: Les *Védas* nous enseignent qu'étant absolus, il n'existe aucune différence entre Dieu et Son Nom. Pouvais-tu le percevoir au début?

George: Un certain temps et une foi ferme sont requis pour accepter, ou réaliser cette vérité. C'est une question de pratique. Et quand je dis que je vois Dieu, je n'entends pas forcément qu'en récitant Son Nom, je vois Krishna dans Sa forme originelle, qu'Il manifesta sur la Terre il y a 5 000 ans, dansant sur les rives de la Yamunâ tout en jouant de la flûte. Bien sûr, une telle vision serait merveilleuse, mais elle ne s'obtient que lorsque la récitation du *mantra* nous a vraiment purifié. Quoi qu'il en soit, il ne fait aucun doute que le chant des Saints Noms donne de sentir Sa présence et de savoir qu'Il est là, tout près de nous.

Mukunda: Te souviens-tu d'une occasion où tu aurais éprouvé cette présence de façon intense?

George: Un jour, j'étais à bord d'un avion traversant un orage électrique. La foudre frappa l'appareil à trois reprises et un Boeing 707 passa juste au-dessus de nous, nous évitant de quelques centimètres. Je croyais que la queue de l'avion avait volé en éclats. Je me rendais de Los Angeles à New York pour organiser le concert au profit du Bangladesh. Dès que notre appareil s'est mis à rebondir, j'ai commencé à chanter *Hare Krishna, Hare Krishna, Krishna Krishna, Hare Hare / Hare Râma, Hare Râma, Râma Râma, Hare Hare.* Cela dura une heure et demie, peut-être plus. L'avion tombait de plusieurs centaines de mètres à la fois, fortement secoué par l'orage et ce, toutes lumières éteintes et dans un fracas d'explosions formidables. La terreur régnait à bord. Quant à moi, je terminai le voyage les pieds calés contre le dossier du siège avant, ma ceinture de sécurité serrée au maximum; agrippé aux accoudoirs, je hurlais littéralement le *mantra*, conscient que mon sort en dépendait. Peter Sellers a juré avoir aussi été sauvé d'un accident d'avion de la même façon.

Mukunda: Es-tu le seul Beatle qui ait chanté ou récité les Noms de Krishna?

George: Avant de rencontrer les dévots, j'avais acheté l'album de Prabhupada enregistré à New York; John et moi l'avons écouté. Je me souviens avoir chanté avec lui le *mantra* pendant des jours, souvent jusqu'à six heures de suite en nous accompagnant à la guitare hawaïenne, tout en naviguant dans les îles grecques. Une fois lancés, on ne pouvait plus s'arrêter. On chantait donc jusqu'à en avoir les mâchoires endolories. Nous étions exaltés; ce fut pour nous des moments de grand bonheur.

Mukunda: L'autre jour, je regardais une vidéo de l'enregistrement de la chanson *Give Peace A Chance*, réalisé dans une chambre du Reine Élizabeth à Montréal. Quelques dévots accompagnaient John et Yoko de leurs tambours et cymbales. C'était en mai 1969; trois mois plus tard, Prabhupada était leur invité d'honneur pendant un mois à Tittenhurst Park. Je crois que c'est à cette époque que vous l'avez rencontré pour la première fois.

George: En effet.

Mukunda: John s'intéressait à la spiritualité et Prabhupâda lui révéla le vrai secret de la paix et de la libération. Ils discutèrent également de l'éternité de l'âme, du karma et de la réincarnation, dont traite en détail la littérature védique. Un an plus tard, John composait la célèbre chanson *Instant Karma*, inspirée de leur entretien. Quelle différence existe-t-il entre la méditation et la récitation du *mantra* Hare Krishna?

George: Aucune, si ce n'est que le *mantra* produit un effet beaucoup plus rapide. Tu peux même le chanter sans chapelet. La principale différence entre la méditation silencieuse et le *mantra* est que la méditation repose davantage sur la concentration alors que le *mantra* nous relie directement à Dieu.

UNE MÉDITATION PRATIQUE

Mukunda: Le *maha-mantra* est recommandé pour les temps modernes à cause de la nature précipitée des événements. Même dans un endroit paisible, il demeure difficile d'apaiser longtemps le mental.

George: Exactement. Le chant du *mantra* est une forme de méditation qui se pratique même quand le mental est agité. On peut aussi s'y adonner en faisant autre chose. Voilà pourquoi ce processus est si merveilleux. Le *maha-mantra* a provoqué plusieurs événements dans ma vie et il me garde en contact avec la réalité. Plus tu le récites, plus tu offres d'encens à Krishna dans la même pièce, plus l'atmosphère se purifie et le but – qui consiste simplement à se souvenir de Dieu – est aisément atteint. Ce *mantra* aide sans aucun doute à invoquer le Seigneur.

Mukunda: Quoi d'autre t'aide à penser à Dieu?

George: Le fait de m'entourer d'un maximum d'objets qui me rappellent de Lui. L'autre jour, par exemple, je regardais, sur le mur de mon studio, une photo de Guru dâs, Shyâmasoundar et toi. Le seul fait de voir ces anciens dévots me fit penser à Krishna. Telle est la raison d'être du dévot : il nous aide à ne pas oublier Dieu.

Mukunda: Récites-tu souvent le *mantra* ?

George: Aussi souvent que possible.

Mukunda: Un jour, tu questionnais Prabhupada sur un verset des *Védas* selon lequel Krishna danse sur la langue de qui chante Son Saint Nom, et que le dévot désire des milliers de bouches et d'oreilles pour mieux apprécier les Noms divins.

George: Prabhupada affirmait alors qu'il n'existe aucune différence entre la présence personnelle de Dieu et Sa présence sous la forme de Son Nom. C'est ça qui est formidable : la récitation du *mantra* nous unit directement au Divin. Je ne doute pas que le fait de répéter sans cesse le Nom de Krishna Le fera danser sur ma langue. L'important toutefois est de garder le contact avec Dieu.

Mukunda: Tu récites donc généralement le *mantra* sur ton chapelet?

George: Oui, car je trouve ce contact très bénéfique. De plus, cela m'aide à utiliser un autre de mes sens au service de Dieu; c'est une des fonctions du chapelet. Au début, j'étais frustré; en effet, quand je récitais souvent le *mantra*, gardant ma main dans le sac contenant le chapelet, on me demandait sans cesse : «Qu'est-il arrivé à ta main? Est-ce une fracture?» J'en avais tellement marre qu'à la fin, je répondais : « Oui, oui, j'ai eu un accident. » C'était beaucoup plus simple que de tout leur expliquer. Le chapelet m'aide également à me défaire d'une trop grande nervosité.

Mukunda: Certains disent que si tous chantaient Hare Krishna, personne ne pourrait plus s'absorber dans son travail. En d'autres mots, on peut se demander si le monde ne s'arrêterait pas de tourner ou si les ouvriers continueraient de se présenter à l'usine.

George: Ce chant n'entrave ni la créativité ni la productivité. Bien au contraire, il favorise la concentration. Imagine si tous les ouvriers chez Ford à Détroit chantaient Hare Krishna en travaillant sur la chaîne de montage; ce serait merveilleux ! L'industrie automobile en profiterait sûrement et des autos plus décentes feraient probablement leur apparition sur le marché.

PERCEVOIR DIEU
À L'AIDE DE NOS SENS

Mukunda: Nous avons beaucoup parlé du *japa,* ou récitation individuelle d'un *mantra,* qu'adopte la majorité. Mais il existe une autre façon de chanter le *mantra* Hare Krishna : le *kîrtan,* ou chant en groupe auquel on se livre au temple ou dans la rue en compagnie des dévots assemblés. Le *kîrtan* a un effet très puissant, comme si l'on rechargeait pour ainsi dire ses batteries spirituelles. Il permet d'ailleurs à d'autres de l'entendre et d'en bénéficier également.

En fait, j'étais là quand Prabhupada a inauguré, en 1966, le chant public en groupe du *mantra* au Tompkins Square Park de New York. Allen Ginsberg, le poète, nous accompagnait souvent à l'harmonium. Plusieurs s'assemblaient pour écouter le *kîrtan* et à notre retour au temple, Prabhupada donnait un exposé sur la *Bhagavad-Gita.*

George: C'est évident, lorsqu'on visite le temple ou que l'on chante en groupe, la vibration n'en est que plus forte. De toute évidence, il s'avère facile pour certains de réciter leur chapelet en pleine foule alors que d'autres seront plus à l'aise au temple. Mais la conscience de Krishna consiste aussi à faire en sorte que tous perçoivent Dieu à travers tous leurs sens, et non seulement dans leurs genoux, posés sur l'agenouilloir en bois dur, le dimanche à l'église. En visitant le temple, tu peux voir des images de Dieu et Sa forme sur l'autel; tu peux aussi Le percevoir en t'écoutant ou en écoutant les autres réciter le *mantra.* C'est une façon de réaliser que tous les sens peuvent nous aider à percevoir le Seigneur. Entendre le *mantra,* voir les peintures et respirer le parfum des fleurs et l'encens rend le tout d'autant plus attrayant. C'est ça qui est formidable dans votre mouvement. Il englobe tout : le chant, la danse, la philosophie et le *prasâdam* [nourriture végétarienne offerte à Dieu avec amour et dévotion]. La musique et la danse occupent une place importante dans le processus. Elles ne servent pas seulement à brûler un surplus d'énergie.

Mukunda: Quand nous chantons dans la rue, les gens aiment nous entourer pour écouter. Plusieurs tapent du pied ou dansent.

George: Le son des *kartâls* [petites cymbales] est fantastique. Quand je l'entends, c'est comme un élément magique qui éveille quelque chose en moi. Sans le réaliser, les gens s'éveillent ainsi à la spiritualité. Bien sûr, dans un sens, le *kîrtan* est éternel, que nous l'entendions ou non.

Désormais, les partis de *sankîrtan* sont un spectacle familier dans toutes les grandes villes d'Occident. J'aime les voir, car l'idée des dévots qui se mêlent aux foules, offrant ainsi à tous la chance de se souvenir de Krishna, me séduit. Comme je l'écris dans l'introduction du *Livre de Krishna* : «Consciemment ou non, tous cherchent Krishna. Krishna est Dieu... et le chant de Ses Saints Noms permet au dévot d'éveiller sans délai sa conscience divine. »

Mukunda: Tu sais, Prabhupada disait souvent que la plupart des gens se mettraient à chanter Hare Krishna au foyer lorsque plusieurs temples seraient établis; cela se vérifie de plus en plus. Notre congrégation mondiale compte des millions de membres. Le chant des Saints Noms dans la rue, les livres et les temples servent à les lancer sur cette voie.

George: Je crois qu'il est préférable que cela se répande désormais dans les foyers. Il existe un grand nombre de dévots en puissance qui n'attendent que d'être contactés; si ce n'est pas aujourd'hui ou demain, ce sera la semaine ou l'année prochaine.

Durant les années soixante, nous étions portés à crier sur les toits tout ce qui nous passionnait. À une certaine époque, j'étais si ravi par mes découvertes et réalisations que je voulais les révéler à tous. Mais il y a un temps pour parler et un temps pour se taire. Pendant les années soixante-dix, plusieurs ont pratiqué la spiritualité de façon plus discrète. On les retrouve ici et là ou à la campagne. Ils ont peut-être l'apparence de vendeurs d'assurances, mais ils méditent ou récitent des *mantras*.

J'ignore quand nous atteindrons l'âge d'or, où tous seront en parfait accord avec la volonté divine. Mais grâce à Prabhupada, la conscience de Krishna s'est répandue davantage de son vivant que depuis le seizième siècle, depuis l'époque du Seigneur Caitanya [avatar de Krishna qui popularisa le chant du Nom de Krishna]. Ce serait merveilleux si tous chantaient le Nom de Dieu; ils y gagneraient. L'argent ne fait pas le bonheur, peu importe notre fortune. Il faut savoir être heureux en dépit de nos problèmes, dont il ne faut pas trop se soucier, et chanter *Hare Krishna, Hare Krishna, Krishna Krishna, Hare Hare*.

LE DISQUE
« HARE KRISHNA *MANTRA* »

Mukunda: En 1969, tu produisais le 45 tours *Hare Krishna Mantra*, qui connut un grand succès dans plusieurs pays. On retrouvera plus tard cette chanson sur l'album *Radha-Krishna Temple*, que tu as aussi produit pour les disques Apple, distribués en Amérique par Capitol. Plusieurs, dans l'industrie du disque, furent surpris de te voir enregistrer et chanter avec les dévots. Qu'est-ce qui t'a incité à le faire?

George: Je voulais aider à faire connaître le *mantra* à travers le monde et permettre aux dévots de s'implanter davantage en Angleterre et partout ailleurs.

Mukunda: Comment comparerais-tu le succès de ce disque à celui des musiciens rock – dont Jackie Lomax, Splinter et Billy Preston – que tu produisais à l'époque?

George: C'était différent. J'étais beaucoup plus motivé, car bien que moins commercial, ce disque allait m'apporter une plus grande satisfaction avec toutes les possibilités qu'il créerait. C'était plus agréable d'utiliser mon talent au service de Krishna que d'essayer de créer un succès.

Mukunda: Selon toi, quel effet ce disque a-t-il eu sur la conscience « cosmique » du monde en touchant des millions de personnes?

George: J'ose espérer que cela a produit des fruits. Après tout, cette vibration est Dieu.

Mukunda: Quand les disques Apple ont organisé le lancement de ce 45 tours, les médias semblaient choqués de te voir accorder tant d'importance à l'âme et à Dieu.

George: J'ai cru qu'il était important d'essayer d'être précis, de tout leur révéler. Car on ne peut pas prétendre ignorer ce qu'on a réalisé. Je me suis dit que nous sommes dans l'ère spatiale. Si chacun peut faire le tour du globe pendant ses vacances grâce à l'avion, pourquoi un *mantra* ne pourrait-il pas également faire un bout de chemin? Il s'agissait en quelque sorte d'infiltrer la spiritualité dans la société. Après avoir engagé Apple à vous aider et lancé le disque à coups de publicité, nous avons réalisé que ce serait un succès. Et un des plus grands moments, une des plus grandes joies de ma vie, vraiment, fut de vous voir à l'émission *Top of the Pops,* diffusée par la BBC. Je n'en croyais pas mes yeux. Il est très difficile de passer à cette émission; seuls ceux dont le disque atteint les vingt premières places du palmarès y ont accès. Ma stratégie : produire une version de trois minutes et demie du *mantra* pour qu'il tourne à la radio, et j'ai réussi. J'ai enregistré l'harmonium et la guitare aux studios d'Abbey Road, avant une séance d'enregistrement des Beatles, puis j'ai ajouté la basse.

Mukunda: Paul se montre également très favorable au mouvement.

George: Tant mieux. Malgré les années, le disque s'écoute encore très bien. Ce fut très agréable de voir Krishna à l'émission *Top of the Pops*.

Mukunda: Peu après son lancement, John Lennon m'apprit qu'on l'avait fait passer durant l'entracte précédant le spectacle de Bob Dylan, à l'île de Wight en 1969, où jouaient aussi les Moody Blues, Joe Cocker et Jimi Hendrix.

George: En effet, ils l'ont passé pendant qu'on préparait la scène pour le spectacle de Bob. C'était merveilleux. Du reste, son air entraînant faisait qu'on l'appréciait même sans en connaître la signification. Je fus très heureux de constater que le disque marchait bien.

Mukunda: Que pensais-tu de l'aspect technique de l'enregistrement – les voix, par exemple?

George: Yamunâ, la soliste, possède une très belle voix. J'aime la conviction qui l'imprègne. Qui aurait cru qu'elle n'avait jamais chanté avant? On dirait plutôt le contraire.

Tu sais, je chantais déjà le *mantra* bien avant même de rencontrer les dévots ou Prabhupada, dont je possédais le premier disque depuis deux ans. Dès la première écoute, ce chant fut comme une porte qui s'ouvrait dans mon subconscient. Peut-être était-ce le souvenir d'une vie antérieure.

Mukunda: Dans ta chanson *Awaiting On You All,* qu'on retrouve sur l'album *All Things Must Pass,* tu déclares sans détour que le chant des Noms de Dieu peut affranchir les gens de l'existence matérielle. Qu'est-ce qui t'a poussé à le faire? Et quelle fut la réaction?

George: À l'époque, de telles chansons n'existaient pas dans la musique pop. Ce qui créait un vrai besoin, à mon avis. Aussi, plutôt que d'attendre qu'un autre prenne l'initiative, j'ai choisi de prendre les devants. Souvent, nous pensons : « J'accepte ce que tu dis, mais je risquerais trop en l'admettant publiquement. » On cherche toujours à protéger sa valeur commerciale. Je pensai donc : fais-le, car personne ne le fera pour toi. Et j'en avais marre de voir tous ces jeunes gâcher leur vie. J'estimais d'ailleurs qu'un tel message en toucherait plusieurs. Je reçois encore des lettres disant : « Je vis au temple depuis trois ans, mais si tu n'avais pas enregistré *All Things Must Pass,* je n'aurais jamais connu Krishna. » Je sais donc que, par la grâce du Seigneur, je joue un rôle – si insignifiant soit-il – dans Son plan cosmique.

Mukunda: Et les autres Beatles? Quelle fut leur réaction quand tu as adopté la conscience de Krishna? Vous aviez tous été en Inde et vous étiez en quête de spiritualité. Shyâmasoundar me disait que lors d'un dîner avec les Beatles, John, Paul et Ringo s'étaient montrés très respectueux.

George: Si les « Fab Four » n'avaient pas pu fraterniser avec les dévots, la situation aurait vraiment été désespérée! [*Rires*] On a fini par les associer à mon nom. Quand apparaissait quelqu'un vêtu d'orange et la tête rasée, on pensait aussitôt : « Ce sont des amis de George. »

Mukunda: Tu t'es donc toujours senti à l'aise avec nous?

George: Dès notre première rencontre, Shyâmasundar et moi sommes devenus des amis. J'avais lu sur la pochette du disque de Prabhupada qu'il était arrivé à Boston en provenance de l'Inde; je savais aussi que vous étiez tous plus ou moins de mon âge. La seule différence : vous étiez déjà membres du mouvement alors que je faisais partie d'un groupe rock. Mais vous ne m'inspiriez aucune crainte; j'avais déjà vu des *dhotîs* – les robes safran que vous portez – et des têtes rasées en Inde. La conscience de Krishna m'a particu-lièrement souri, car je n'ai jamais eu l'impression de devoir habiter au temple et joindre le mouvement à plein temps. C'était ainsi une spiritualité qui s'harmonisait parfaitement avec mon style de vie. Je pouvais continuer à faire de la musique; c'est mon niveau de conscience qui devait changer.

Mukunda: Le manoir que tu as acheté pour nous près de Londres est désormais un de nos plus grands centres internationaux. Quel effet cela te fait-il de voir combien il a contribué à répandre la conscience de Krishna?

George: C'est merveilleux. Cela fait partie, avec le disque *Hare Krishna Mantra,* de mon engagement. À vrai dire, je suis heureux d'avoir pu vous aider à l'époque. Toutes mes chansons à message spirituel – comme *My Sweet Lord* – étaient pour ainsi dire des «pubs». Aujourd'hui, je sais qu'on vous témoigne plus de respect et qu'on vous accepte plus volontiers quand on vous voit. J'ai d'ailleurs donné plusieurs livres de Prabhupada à diverses personnes; c'est bon de savoir qu'ils sont en leur possession. Même si je n'en-tends plus parler d'elles, leur vie peut être transformée si elles les lisent.

Mukunda: Comment conseilles-tu les personnes portées à la spiritualité, mais ne possédant pas un grand savoir?

George: Je leur parle de mon expérience personnelle et leur offre différents livres ou endroits à visiter, tu sais : « Va au temple, essaie le chant du *mantra*... »

Mukunda: Dans sa chanson *Ballad of John and Yoko,* John reproche aux médias de nourrir et de perpétuer une fausse conception des gens et des choses. Il a fallu beaucoup de temps et d'efforts pour leur faire comprendre que notre religion – dont les Écritures remontent à trois mille ans avant le *Nouveau Testament* – est authentique. Aujourd'hui, de plus en plus de gens, d'érudits, de théologiens et de philosophes révisent leur jugement et montrent désormais un grand respect pour la tradition ancestrale où le Mouvement pour la Conscience de Krishna prend racine.

George: Les médias sont à blâmer pour *tout,* pour toutes les méprises qui circulent au sujet de votre mouvement, quoique dans un sens, qu'importe s'ils en disent du bien ou du mal, puisque de toute façon, la conscience de Krishna semble toujours transcender cet obstacle. Le seul fait que les médias parlent de Krishna est un bien en soi.

Mukunda: Srila Prabhupada nous a toujours appris à respecter les principes qu'il nous a enseignés. Selon lui, le pire pour nous serait de faire des concessions injustifiables ou de diluer la philosophie pour acquérir une popularité superficielle. Même si plusieurs *swamis* et yogis sont venus de l'Inde en Amérique, seul Prabhupâda possédait la pureté et la dévotion requises pour établir à travers le monde la philosophie de Krishna telle qu'elle est, sans la diluer d'aucune façon.

George: Il était l'exemple même de ce qu'il prêchait.

Mukunda: Qu'est-ce qui t'a incité à financer la première édition anglaise du *Livre de Krishna* et à en écrire l'introduction?

George: J'estimais que c'était mon devoir de le faire. Où que je sois, quand je rencontre les dévots, je leur dis : «Hare

Krishna! ». Eux semblent toujours heureux de me voir. C'est une belle amitié. Ils pensent me connaître, même s'ils ne sont pas des amis personnels, et ils n'ont pas tout à fait tort.

Mukunda: Dans ton album *Living In The Material World,* on retrouvait la photo-couverture de la *Bhagavad-Gita,* sur laquelle on aperçoit Krishna et Arjuna, Son ami et disciple. Pourquoi ?

George: On pouvait aussi lire dans l'album : « Photo-couverture de la *Bhagavad-Gita telle qu'elle est* de A.C. Bhaktivedanta Swami Prabhupada ». C'était encore une pub pour vous, bien sûr. Je voulais que tous puissent voir Krishna, Le connaître. N'est-ce pas le but ?

NOURRITURE SPIRITUELLE

Mukunda: Durant le dîner, nous discutions du *prasâdam,* aliments végétariens spiritualisés par une offrande à Krishna dans le temple. Nombreux sont ceux qui ont connu la conscience de Krishna grâce aux festins servis le dimanche dans tous nos centres à travers le monde. C'est la seule forme de yoga qui se pratique en mangeant.

George: Il faut essayer de voir Dieu en toute chose, et de pouvoir savourer cette nourriture nous y aide beaucoup. Soyons réalistes : si Dieu est partout, n'est-il pas naturel de Le percevoir en mangeant ? Je crois que le *prasâdam* revêt une grande importance. Étant Dieu, Krishna est absolu : Son Nom, Sa forme, le *prasâdam* – tout ça c'est Lui. On dit que c'est par le biais de l'estomac que l'on arrive à toucher le cœur. Pourquoi ne pas appliquer la même méthode pour toucher l'âme? Il n'y a rien de tel que de chanter et de danser, ou de discuter philosophie paisiblement, et de voir soudain les dévots servir le *prasâdam*. C'est une bénédiction de Krishna qui revêt une grande importance spirituelle.

En fait, le *prasâdam* correspond à la communion chrétienne; mais au lieu d'une simple hostie, c'est tout un festin. Et quelle saveur! En ce siècle commercial, c'est un bon appât. De toute évidence, il en a attiré plus d'un à la vie spirituelle. Le *prasâdam* dissipe aussi les préjugés. Les gens pensent : «Je boirais et je mangerais bien quelque chose.» Puis, une fois servis, ils demandent : « Mais qu'est-ce que c'est? » « C'est du *prasâdam*. » Ils apprennent ainsi à connaître un autre aspect de la conscience de Krishna. Ils s'exclameront ensuite : « Quelle saveur! Peut-on en redemander? » J'en fus témoin à plusieurs reprises, surtout avec les aînés qui visitent vos temples. Malgré leurs préjugés, ils sont séduites par le *prasâdam* et quittent le temple en pensant : « Ce sont de braves gens après tout.»

Mukunda: Les Écritures védiques nous révèlent que le *prasâdam* confère la réalisation spirituelle, au même titre que le chant du *mantra*, mais de façon plus subtile.

George: Pour ma part, je dirai que le *prasâdam* fonctionne définitivement. J'ai toujours préféré l'honorer au temple, ou avec Prabhupada quand c'était possible, que de le recevoir chez moi. Parfois, tu peux rester assis devant ton assiette pendant des heures sans t'en rendre compte. Le *prasâdam* m'a vraiment beaucoup aidé, car tu commences à réaliser : « Je goûte la saveur de Krishna. » Tu prends soudain conscience d'un nouvel aspect de Dieu, comprenant qu'Il est ce petit *samosâ* [chausson aux choux-fleurs et petits pois frit dans l'huile de beurre]. Il s'agit simplement de se brancher sur le spirituel et le *prasâdam* joue un rôle tangible dans ce domaine.

Mukunda: Tu sais, plusieurs groupes rock – dont Police et Grateful Dead – ont reçu du *prasâdam* avant de monter sur scène; ils en raffolent. C'est devenu une tradition pour nous. Les Beatles en ont aussi reçu lors d'une séance d'enregistrement. Ta sœur me racontait aujourd'hui que Shyâmasoundar en apportait aussi à tous les musiciens qui participaient aux répétitions du concert pour le Bangladesh.

George: On peut d'ailleurs lire son nom sur la pochette du disque.

Mukunda: Quelles sont tes préparations préférées, George?

George: J'aime vraiment les *pakorâs* [beignets de choux-fleurs frits dans l'huile de beurre] et les *rasamalais* [sucreries au lait], sans oublier les *lassîs,* ou jus de fruits au yogourt auxquels on ajoute parfois de l'eau de rose.

Mukunda: Te souviens-tu du jour où nous avons convoqué la presse à un grand festin pour le lancement du disque *Hare Krishna Mantra*? Les journalistes furent très surpris, notre cuisine n'étant pas encore célèbre à l'époque. Aujourd'hui, les gens disent encore souvent, lorsqu'ils pensent à nous: «Ce sont eux qui chantent et dansent dans les rues». Mais ils nous associent de plus en plus au *prasâdam* : « Ce sont eux qui servent des repas végétariens gratuits. »

George: Les journalistes pensaient probablement: «Encore un lancement!» Et ils se retrouvent tout à coup devant un buffet indien surpassant tout ce qu'ils pourraient trouver au restaurant. Ils furent très impressionnés.

Mukunda: Nous avons servi des millions d'assiettes de *prasâdam* au cours de festins gratuits, offerts dans tous nos centres à travers le monde, sans parler de nos restaurants.

George: Dommage que vous n'ayez pas un restaurant – ou un temple – sur toutes les grandes artères de chaque ville et village du monde comme tous ces commerces de hamburgers et de poulets rôtis, ce qui les obligeant ainsi à fermer boutique.

Mukunda: As-tu visité notre restaurant à Londres?

George: À plusieurs reprises. Il est utile d'avoir de tels restaurants où servent des dévots « en civil ». Ceux qui les fréquentent réalisent graduellement : « C'est un des meilleurs restaurants en ville », et ils y retournent souvent. Ils y prendront peut-être une brochure et diront : « Cet établissement est tenu par des dévots de Krishna. » Je crois que cette approche plus subtile a beaucoup d'importance. Votre restaurant offre des mets frais, sains, aussi savoureux qu'équilibrés et préparés avec dévotion – ce qui compte pour beaucoup. Quand tu sais qu'un plat fut cuisiné à contrecœur, sa saveur n'égale pas celle de celui qu'on apprête en vue de plaire au Seigneur, à qui on l'offre d'abord. Cela en soi confère un goût supérieur à toute nourriture.

Mukunda: Paul et Linda McCartney mangent souvent à ce restaurant. Récemment, Paul rencontra un dévot près de son studio à Londres, ce qui lui inspira une chanson. Dans une interview de James Johnson pour un journal londonien, Paul dit : « La chanson *One of These Days* décrit ma rencontre avec un Hare Krishna. Nous avons discuté, entre autres, de différents styles de vie. Je ne suis pas moi-même dévot de Krishna, mais je sympathise beaucoup avec eux. »

Depuis plusieurs années déjà, tu es végétarien. As-tu de la difficulté à maintenir ce régime?

George: Non. J'ai fini par comprendre; maintenant, je mange chaque jour du *dâl* [soupe aux lentilles] ou quelque chose du genre. En réalité, les lentilles coûtent peu, mais sont riches en protéines de première qualité. Les gens se suicident en achetant du steak, qui engendre le cancer et les maladies cardiaques. De plus, il leur en coûte une petite fortune. On pourrait servir de la soupe aux lentilles à mille personnes pour le prix de six filets. N'est-ce pas absurde donc de continuer à se nourrir de viande?

Mukunda: Ceux qui lisent nos livres ou visitent le temple sont très touchés par les peintures et sculptures réalisées par nos artistes d'après les divertissements de Krishna, manifestés sur la Terre il y a 5 000 ans. Prabhupada disait que ces peintures étaient « des fenêtres qui s'ouvrent sur le monde spirituel. » Il fonda donc une école des beaux-arts afin d'initier ses disciples aux techniques de l'art transcendantal. Aujourd'hui, de tels tableaux ornent la demeure de milliers de gens sous forme d'originaux, de lithographies, de reproductions sur toile ou de posters. Tu as visité notre musée de Los Angeles; qu'en penses-tu?

George: Je trouve que c'est mieux que Disneyland; vraiment, ça vaut bien le Smithsonian Institute de Washington. Les dioramas sont fantastiques et la musique enivrante. Tout cela évoque admirablement le royaume de Dieu et, à un niveau plus fondamental, montre de façon évidente et précise – même pour un enfant – que l'âme diffère du corps et pourquoi elle s'avère plus importante.

Je m'entoure toujours d'illustrations comme celle que j'ai insérée dans l'album *Living in the Material World.* Une fontaine sculptée à l'effigie de Shiva embellit mes jardins. Après avoir visité votre musée, je voulais que les artistes qui l'avaient réalisé sculptent une fontaine grandeur nature de ce grand *déva.* Shiva, assis en méditation avec un jet d'eau émanant de sa tête, trône désormais au centre de mes jardins, reconnus comme étant parmi les plus beaux de toute l'Angleterre.

Les illustrations m'aident quand je récite le *mantra.* Celle de la *Bhagavad-Gita* qui montre l'Âme Suprême sise dans le cœur du chien, de la vache, de l'éléphant, du pauvre et du prêtre nous aide à réaliser que – peu importe le corps – le Seigneur S'y trouve également. Nous sommes tous égaux en réalité.

PRABHUPADA

Mukunda: John Lennon et toi avez rencontré Prabhupada lorsqu'il habitait chez John, en septembre 1969.

George: Exactement. Je le sous-estimai toutefois lors de ce premier contact, ne réalisant pas alors que, grâce à lui, le *mantra* s'était plus répandu qu'il ne l'avait fait au cours des cinq derniers siècles. Voilà qui est étonnant, car malgré son âge avancé, il ne cessait jamais d'écrire. Je compris plus tard qu'il était beaucoup plus inconcevable qu'on ne l'aurait cru à première vue.

Mukunda: Qu'est-ce qui te frappait le plus chez lui ?

George: Quand il disait : « Je suis le serviteur du serviteur de Krishna. » Cela me plaisait énormément. Plusieurs disent : « Je suis une incarnation divine. Me voici; laissez-moi vous éclairer. » Tu vois? Mais Prabhupâda n'était pas du tout comme ça. J'ai toujours apprécié son humilité, sa simplicité. Aucun de nous n'est Dieu – mais seulement le serviteur... du serviteur. Je me sentais très à l'aise, très décontracté en sa pré-sence, comme avec un bon ami. Même s'il avait alors 79 ans et qu'il travaillait, pour ainsi dire, jour et nuit, ne dormant guère, il ne me donnait pas l'impression d'être un grand érudit, car il avait la candeur d'un enfant. C'était fantastique. Quoiqu'il fût un saint et le plus grand sanskritiste qui soit, j'appréciais le fait qu'il se donnait tant de mal pour me mettre à l'aise. Voilà pourquoi à ce jour, je le considère comme un ami.

Mukunda: Dans un de ses livres, Prabhupada dit que ton service surpasse celui de certaines personnes qui ont approfondi davantage la conscience de Krishna, mais n'ont pas su maintenir un tel engagement. Quel effet cela te fait-il?

George: Un effet des plus merveilleux. Cela me donne vraiment beaucoup d'espoir, car on dit qu'un seul instant en la compagnie d'un être divin, d'un pur dévot de Krishna, peut nous aider énormément. Je crois que Prabhupada était très heureux de voir quelqu'un de l'extérieur aider à enregistrer un album. Le seul fait qu'il était satisfait m'encourageait. Je savais qu'il aimait le disque *Hare Krishna Mantra*; il demanda d'ailleurs aux dévots de jouer la chanson *Govinda*. Et ils le font toujours, non?

Mukunda: Chaque temple en possède une copie qui tourne chaque matin avant le *kîrtan*, quand les dévots s'assemblent devant l'autel. C'est pratiquement devenu une tradition.

George: Une réaction de Prabhupada, ou des dévots, à mes chansons – voilà tout l'encouragement dont j'avais besoin. Que ce soit une chanson ou un livre que j'aidais à publier, tout ce que je faisais sur le plan spirituel avait le don de lui plaire. Comme je l'écris dans mon livre *I Me Mine*, la chanson *Living in the Material World* fut inspirée par Prabhupada, qui m'expliqua que nous ne sommes pas le corps matériel; nous l'habitons seulement. Comme le dit donc la chanson, le monde où nous vivons n'est pas le paradis. Notre véritable demeure est le monde spirituel :

As I'm fated for the material world
Get frustrated in the material world
Senses never gratified only swelling like a tide
That could drown me in the material world[2]

---

[2] © 1973 Material World Charitable Foundation.

Notre seule raison d'être ici, à vrai dire, consiste à trouver un moyen d'en sortir. Ne se contentant pas d'enseigner l'art d'aimer Krishna et de quitter ce monde, Prabhupada incarnait un exemple parfait. Déclarant qu'il faut toujours chanter le *mantra*, il le faisait lui-même. Je pense que c'est ce qui m'encourageait le plus. Cela suffisait à me faire redoubler d'efforts pour m'améliorer. Il était l'exemple parfait de ce qu'il prêchait.

Mukunda: Comment décrirais-tu l'œuvre de Prabhupada?

George: Je crois qu'elle revêt une très grande importance tant elle est immense. Même en le comparant à Shake-speare, le nombre de volumes écrits par Prabhupâda est incroyable. Cela confond l'imagination. Pendant des jours entiers, il ne dormait parfois que quelques heures. Malgré ses 79 ans, même un jeune athlète n'aurait pu l'imiter.

Prabhupada a déjà exercé une telle influence sur le monde que nul ne saurait en mesurer l'étendue. Un jour, j'ai réalisé soudain: « Seigneur, quel être extraordinaire! » Toute la nuit, il traduisait du sanskrit vers l'anglais des livres auxquels il ajoutait un glossaire pour s'as-surer que tous les comprennent. Le plus étonnant est qu'il ait fait toutes ces traductions en si peu d'années. Ne possédant que sa propre conscience de Krishna, il rassembla des milliers de dévots, mis en branle un mouvement doté d'une telle puissance qu'il ne fut pas freiné dans sa course lorsqu'il nous quitta [le 14 novem-bre 1977]. Plus les gens s'éveille-ront à la spiritualité, plus ils réaliseront la profondeur de son message et l'ampleur de sa contribution à l'humanité.

Mukunda: Savais-tu qu'on retrouve tous ses livres dans les principaux collèges et universités du monde : Harvard, Yale, Oxford, Cambridge et la Sorbonne ?

George: Comme il se doit! Sa maîtrise du sanskrit m'impres-sionnait tout particulièrement; sa conversation comportait souvent des citations sanskrites suivies de leur traduction anglaise. Sa contribution littéraire est certes énorme. Plusieurs auteurs et érudits connaissent la *Gita*, mais de façon purement intellectuelle. Même quand ils écrivent : «Krishna dit... », c'est sans la *bhakti,* sans l'amour requis. Voici le secret : Krishna est vraiment une personne; Il est le Seigneur qui Se révèle aussi dans les pages de la *Gita* quand naît cet amour, cette *bhakti*. On ne peut comprendre Dieu un tant soit peu à moins de L'aimer. Les pseudo-érudits védiques n'aiment pas nécessairement Krishna; ils ne sauraient donc Le comprendre ou nous L'offrir. Mais Prabhupâda n'était pas comme eux.

Mukunda: Les Écritures védiques prédirent que l'avènement du Seigneur Caitanya – il y a 500 ans – serait suivie d'un âge d'or d'une durée de 10 000 ans, au cours duquel le chant des Saints Noms effacera toute la dégradation de l'ère moderne, pour apporter la vraie paix à la Terre.

George: Prabhupada a définitivement touché le monde d'une manière absolue en nous transmettant la plus haute science, la littérature suprême que rien n'excelle.

Mukunda: Tu écris dans ton autobiographie : « Qui que vous soyez, un yogi, un moine ou une religieuse, vous ne pourrez quitter l'Univers matériel sans la grâce de Dieu. » Et ta chanson *Living in the Material World* se termine par : « J'espère sortir d'ici par la grâce du Seigneur, Sri Krishna, mon Sauveur. » Si nous dépendons de cette grâce, que signifie alors le proverbe : « Aide-toi et le ciel t'aidera. » ?

George: C'est un principe flexible, à mon avis. D'une part, je ne pourrai quitter ce monde sans Sa grâce; mais d'autre part, celle-ci sera proportionnelle au désir que j'aurai manifesté en moi. Les bénédictions que j'espère seront celles que j'aurai méritées. Je gagne ce que j'investis. Comme dit la chanson que j'ai composée sur Prabhupada :

The Lord loves the one that loves the Lord
And the law says if you don't give
Then you don't get loving
Now the Lord helps those that help themselves
And the law says whatever you do
It comes right back on you[3]

As-tu entendu la chanson *That Which I Have Lost* de mon album *Somewhere in England* ? Les paroles, directement inspirées de la *Bhagavad-Gita*, parlent de combattre les puissances des ténèbres, le mensonge et la mort.

DIEU EST UNE PERSONNE

Mukunda: J'aime bien cette chanson. Ceux qui comprendront le message du Seigneur dans la *Bhagavad-Gita* pourront connaître le vrai bonheur. Mais ceux qui débutent sur la voie spirituelle vénèrent souvent l'aspect impersonnel de Dieu. Quelle différence existe-t-il entre l'adoration de Krishna, ou la forme personnelle de Dieu, et celle de Son énergie ou radiance impersonnelle?

George: La même qui existe entre fréquenter un ordinateur et fréquenter une personne. Je le répète : « Si Dieu existe, je veux Le voir », pas seulement Son énergie ou Sa radiance, mais Lui.

Mukunda: Quel est selon toi le but de la vie humaine ?

George: Chacun doit brûler son karma personnel et s'affranchir des chaînes de *mâyâ* [l'illusion] et de la réincarnation. Le meilleur don que l'on puisse offrir à l'humanité réside dans la conscience de Dieu. Mais il s'agit d'abord de s'assurer de son propre développement spirituel. Il faut

---

[3] © 1973 Material World Charitable Foundation.

donc, dans un sens, penser à soi avant de pouvoir penser aux autres.

Mukunda: Ne peut-on pas résoudre les problèmes de la vie sans la spiritualité ?

George: La vie ressemble à une corde jonchée de nœuds qui représentent le karma de toutes nos vies passées. Le but de la vie humaine consiste à défaire tous ces nœuds, ce qui est possible grâce au chant du *mantra* et à la méditation. Sinon, tu ne peux que créer dix nouveaux nœuds chaque fois que tu essaies d'en défaire un. Tels sont les mécanismes du karma. Ce que nous sommes aujourd'hui est le fruit de nos actes passés et ce que nous serons demain dépend de nos actions présentes. Il est donc important de comprendre le proverbe « Tu récolteras ce que tu as semé », car tu ne peux plus alors blâmer personne pour ton sort. Ce sont nos propres actes qui nous libèrent ou nous enchaînent.

Mukunda: Le *Srimad-Bhagavatam,* la perle de toute la littérature védique, explique que diverses relations (*rasas*) unissent les âmes pures qui peuplent le monde spirituel à Dieu. Pour ta part, sous quelle forme préfères-tu voir Krishna ?

George: Sous la forme d'un enfant, tel qu'on Le dépeint souvent en Inde, et comme Govinda, le petit pâtre. J'aime l'idée que Krishna peut prendre la forme d'un bébé qu'on voudra protéger, ou d'un ami, d'un *guru,* ou d'un maître.

« MY SWEET LORD »

Mukunda: Il serait impossible d'estimer combien de personnes ont été branchées sur la conscience de Krishna par ta chanson *My Sweet Lord.* Mais tu as vécu une dure épreuve personnelle avant de décider de l'enregistrer.

On peut lire dans ton livre :

« Je me suis longtemps demandé si je devais faire ou non *My Sweet Lord,* une chanson qui m'engageait publiquement... Plusieurs craignent les mots *Dieu* et *Seigneur*... Je mettais ma tête sur le billot... mais, dans un même temps, je pensais: personne ne le dit... Pourquoi me mentir?... Je crois qu'il est important d'exprimer ce qu'on ressent profondément.

« Je voulais également montrer qu'il n'existe aucune différence entre *Alléluia* et *Hare Krishna.* J'ai conçu les chœurs de telle sorte que les gens chantent le *maha-mantra* à leur insu! Je le chantais moi-même depuis longtemps déjà. C'était simplement l'équivalent pop d'un *mantra* qui répète les Saints Noms. Je n'ai aucun remords d'avoir fait ce disque qui, en vérité, a sauvé la vie de nombreux héroïnomanes. »

Qu'est-ce qui t'a poussé à inclure le *mantra* sur l'album? N'aurait-il pas suffi de chanter *Alléluia* ?

George: *Alléluia* demeure avant tout une expression d'allégresse dans le christianisme, mais *Hare Krishna* est plus mystique. En plus de glorifier Dieu, ce *mantra* Lui demande de nous accepter comme Son serviteur. De par sa structure et l'énergie mystique contenue dans ses syllabes, ce *mantra* est plus près de Dieu que la façon dont le christianisme semble Le représenter de nos jours. Bien qu'à mon avis, le Christ soit un yogi accompli, j'estime que plusieurs prédicateurs chrétiens le présentent sous un faux jour. Censés représenter Jésus, ils s'acquittent mal de leur mission. Ils le trahissent tant que c'en est dégoûtant. *Alléluia* était peut-être à l'origine un *mantra*, mais je ne suis pas sûr de sa véritable signification. Le mot *Christ* vient du grec *Kristos,* dérivé du mot *Krishna.* Christ ou Krishna, le Nom est le même.

Mukunda: Quelle différence vois-tu entre la conception chrétienne de Dieu et la façon dont la *Bhagavad-Gita* présente Krishna ?

George: La première fois que j'ai visité cette maison où j'habite maintenant, elle servait de résidence à des religieuses. Je suis entré avec un poster de Vishnu [forme à quatre bras de Krishna], où l'on ne voit que Sa tête, Ses épaules et Ses mains, qui portent une conque et divers autres symboles. Une belle aura émane aussi de Sa personne, surmontée d'un grand *OM*. Je pose donc le poster près du foyer, puis je sors. Quand je rentre à nouveau, elles me demandent toutes : «Qui est-ce ? », comme si c'était un dieu païen. Je leur réponds ainsi : « Si Dieu est infini, Il peut apparaître sous la forme de Son choix, comme bon Lui semble. Vous voyez ici Sa forme appelée Vishnu. » Elles ont un peu flippé, mais pourquoi limiter Dieu ? Krishna Lui-même n'est pas limité à une forme; Il peut être un enfant, ou Govinda, ou manifester tant d'autres formes célèbres. Personnellement, j'aime Le voir comme un enfant; c'est une relation joyeuse. Mais aujourd'hui, on représente souvent le christianisme d'une façon morbide, qui vous interdit de sourire et vous enlève tout espoir de voir Dieu. Si Dieu existe, nous devons Le voir. Je n'accepterai jamais l'idée propagée par plusieurs églises : « Non, vous ne Le verrez pas. Il est bien au-dessus de vous. Croyez simplement ce qu'on vous dit et fermez-la. »

Les livres de Prabhupada contiennent le savoir des plus anciennes Écritures du monde : les *Védas* qui enseignent que les humains peuvent se purifier et voir Dieu en acquérant la vision divine. Le chant du *mantra* opère cette purification. Les *Védas* furent rédigés en sanskrit, la première langue du monde qu'on nomme également *dévanâgarî,* « la langue des dieux ».

Mukunda: Peu importe sa religion, quiconque désire sincère ment évoluer spirituellement peut généralement percevoir la valeur de ce chant. C'est-à-dire si cette personne cherche vraiment à prendre conscience de Dieu et pratique ce chant avec sincérité.

George: C'est vrai. Il s'agit simplement d'être ouvert et libre de tout préjugé. Il faut l'essayer. Il n'y a rien à perdre. Mais les intellectuels éprouveront toujours des difficultés dans ce domaine, car il leur faut toujours «savoir». Ce sont souvent eux les plus démunis sur le plan spirituel parce qu'ils ne lâchent jamais prise. Ils ne savent pas ce qu'on entend par « transcender » l'intellect. Alors que la femme ou l'homme moyen sera davantage porté à dire : «D'accord, essayons pour voir si ça marche.» On pourra aussi devenir un meilleur chrétien en chantant Hare Krishna.

KARMA ET RÉINCARNATION

Mukunda: Dans ton livre *I Me Mine,* tu dis que la seule façon de s'affranchir du karma et du cycle de la réincarnation est d'adopter une spiritualité authentique. Tu déclares également : « Tous se tourmentent à cause de la mort, or celle-ci découle de la naissance. Si vous ne voulez plus mourir, ne reprenez plus naissance! » Les autres Beatles croient-ils à la réincarnation?

George: Je suis sûr que John y croyait! Et je ne voudrais pas sous-estimer Paul ou Ringo. Je ne serais pas étonné s'ils espéraient qu'elle existe vraiment. Autant que je sache, Ringo pourrait bien être un yogi déguisé en batteur!

Mukunda: Paul possède une copie de notre livre *Renaître: La science de la réincarnation.* Où est l'âme de John maintenant, à ton avis ?

George: Dans un monde meilleur, j'espère. Il comprenait

que tant que l'âme n'est pas entièrement pure, elle doit se réincarner dans un monde déterminé par les suites des actions qu'elle a accomplies dans cette vie comme dans les précédentes.

Mukunda: À une certaine époque, Bob Dylan chantait souvent le *mantra* et visitait régulièrement nos temples de Los Angeles, Denver et Chicago. Il parcourut même les États-Unis en compagnie de deux dévots et composa aussi plusieurs chansons sur Krishna.

George: C'est exact. Il m'a dit qu'il appréciait le chant du *mantra* et la présence des dévots. Stevie Wonder a également inclus le *mantra* dans sa chanson *Pastimes Paradise*.

Mukunda: Le fait de voir des milliers de personnes chanter le *mantra* et vivre la conscience de Krishna durant ton séjour à Vrindâvan a-t-il accru ta foi en ce chant ?

George: Définitivement. D'ailleurs, cette expérience unique m'inspira la chanson *It Is He*. C'est fantastique d'être dans une ville où tous les habitants chantent le *mantra*. J'ai aussi eu l'impression qu'ils étaient émerveillés de voir un Blanc réciter le *mantra* sur un chapelet. Vrindavan est l'une des villes les plus saintes de l'Inde. Ce fut l'expérience la plus extraordinaire de ma vie.

Mukunda: Tu écris aussi dans ton livre : « La plupart des gens – surtout les militaires et les politiciens – croient qu'ils contrôlent le monde et sa population. Ils se conduisent comme s'ils étaient maîtres du monde. Voilà le plus grand problème dont souffre notre planète. » [4]

George: Précisément. À moins d'être conscient de Dieu dans nos activités, sachant bien que c'est Lui le maître de toute chose, nous ne pourrons qu'accumuler beaucoup

---

[4] *I Me Mine*, Chronicle Books, San Francisco, 2002.

de karma. Ce qui ne peut que nous nuire et nuire aux autres. Je suis très déprimé de voir la condition actuelle du monde : la pollution et la radio-activité ne font que s'accroître. On coupe les arbres, on pollue les océans et l'air que nous respirons. Dans un sens, je suis pessimiste quant à l'avenir de la planète. Personne ne semble réaliser que toutes ces activités engendrent des réactions. Il faudra payer un jour; ainsi le veut la loi du karma.

Mukunda: Peut-on quand même espérer?

George: Oui. Chacun doit échapper aux griffes de *mâyâ*, brûler son karma et s'affranchir de la réincarnation. Cessons de penser que si l'Angleterre, l'Amérique, la Russie ou l'Occident devient la première puissance mondiale, nous aurons gagné la partie et pourrons alors souffler et vivre éternellement heureux. Cela ne marchera jamais. Le meilleur don qu'on puisse offrir est la conscience de Dieu. Manifestez d'abord votre propre nature divine. La vérité est en nous. Comprenez votre véritable identité. Si seulement les gens s'éveillaient à la réalité, toute misère disparaîtrait. Le chant du *mantra* constitue, selon moi, un bon point de départ.

Mukunda: Merci beaucoup, George.

George: De rien. Hare Krishna!

HARE KRISHNA HARE KRISHNA KRISHNA KRISHNA HARE HARE
HARE RAMA HARE RAMA RAMA RAMA HARE HARE

2.

ENTRETIEN EXCLUSIF AVEC JOHN LENNON ET GEORGE HARRISON

Par une froide nuit de décembre 1966, un swami indien d'un âge vénérable montait dans une camionnette Volkswagen avec une quinzaine de sympathisants et leurs instruments – dont un harmonium prêté par Allen Ginsberg. Leur destination : un studio d'enregistrement situé près de Times Square. Musiciens amateurs, ils allaient néanmoins enregistrer un album pour lequel même le producteur s'emballerait. Loin d'être un disque musical ordinaire, il alliait chant, méditation et dévotion. Quelques mois plus tard, une lettre parvenait à une petite boutique désaffectée, transformée en temple, de New York. Après l'avoir écouté, quelqu'un avait informé les Beatles de l'existence de ce disque. Ceux-ci en commandaient une centaine de copies. Dans l'entretien qui précède celui-ci, George Harrison nous donnait son impression de ce disque de Swami Bhaktivedanta, intitulé « Krishna Consciousness ».

En septembre 1969, John Lennon accueillait à Titten-hurst (Angleterre) A. C. Bhaktivedanta Swami Prabhupâda, le regretté fondateur de l'Association Internationale pour la Conscience de Krishna, connu plus tard sous le nom de Prabhupada. La propriété des Lennon comprenait une trentaine d'hectares de forêts et pelouses, un grand manoir où John et Yoko vivaient, ainsi que de nombreuses

dépendances. Prabhupada et ses disciples devaient pour
leur part occuper quatre appartements situés dans un
bâtiment proche du manoir. Une quinzaine de dévots s'y
installèrent, réservant un appartement pour leur maître et
son secrétaire. Ce n'était pas la première fois que les
Lennon recevaient des dévots : quelques mois plus tôt, ils
en avaient accueilli un groupe dans leur suite à l'hôtel
Reine Élizabeth de Montréal, où ils avaient enregistré avec
eux la chanson « Give Peace A Chance » :

> « Everybody's talking about John and Yoko,
> Timmy Leary, Rosemary, Tommy Smothers,
> Bobby Dylan, Tommy Cooper, Derek Taylor,
> Norman Mailer, Allen Ginsberg, Hare Krishna,
> Hare Krishna. All we are saying is
> Give Peace A Chance. » [5]

1969 fut, pour John Lennon, une année d'intense recherche de libération autant sociale que personnelle. Après
avoir rencontré Maharishi, il pratiqua la méditation transcendantale et la thérapie primale, avant de s'intéresser à
la politique. C'était une grande période de transition : il
avait épousé Yoko Ono en mars et les Beatles étaient sur
le point de se séparer.

Le 14 septembre, après un délicieux repas végétarien,
John, Yoko, et George Harrison rencontraient Prabhupâda
pour la première fois. La discussion animée qui s'ensuivit
traite du sentier de la paix et de la libération, de la nature
éternelle de l'âme et de Dieu, du karma – clé de la réincarnation –, des qualifications d'un guru authentique, de
l'autorité de la Bhagavad-Gita, ce grand classique spirituel de l'Inde, regardé comme sacré par 600 millions de
personnes.

---

[5] © 1969 Northern Songs Ltd.

Au cours de cet entretien tantôt humoriste, tantôt intense, le lecteur sera frappé par l'emploi prophétique de l'assassinat du président Kennedy pour illustrer la nature temporaire de la vie humaine et la survie de l'âme après la mort, des thèmes que John approfondirait dans ses chansons ultérieures. En quête d'un guru lors de son séjour en Inde, John désirait savoir comment reconnaître un maître de bon aloi.

*
*   *

Prabhupada: [*à John Lennon*] Tu désires apporter la paix dans le monde. J'ai lu certaines de tes déclarations; elles révèlent ton désir d'agir dans ce sens. À vrai dire, toute personne sainte doit désirer instaurer la paix dans le monde, mais il faut savoir comment y parvenir. Dans la *Bhagavad-Gita* [5:29], Krishna explique ainsi : « Parce qu'il Me sait le bénéficiaire ultime de tous les sacrifices, de toutes les austérités, le souverain de tous les astres et de tous les *dévas*, l'ami et bienfaiteur de tous les êtres, le sage trouve la paix, la cessation des souffrances matérielles.»

Les gens connaîtront la paix lorsqu'ils comprendront parfaitement trois vérités :

1) Krishna est le véritable bénéficiaire de tous les sacrifices, austérités et pénitences qu'on entreprend pour parfaire notre vie. À titre d'exemple, vos activités musicales sont aussi une forme d'austérité. Vos chansons ont connu le succès dû à certaines austérités que vous vous êtes imposées. Vous avez atteint la perfection dans votre domaine, mais non sans quelques sacrifices. Les découvertes scientifiques exigent également des austérités. En fait, tout ce qui s'avère précieux requiert quelque austérité. Celui qui travaille sincèrement et

assidûment connaîtra le succès. C'est ce qu'on appelle *yajña* (sacrifice) ou *tapasya* (pénitence). Krishna affirme donc être le bénéficiaire des fruits de votre *tapasya* : « Le fruit de tes sacrifices doit M'être offert; alors tu connaîtras la satisfaction. »

2) **Krishna** est le possesseur suprême. Les hommes revendiquent : «L'Angleterre nous appartient», «l'Inde nous appartient», « l'Allemagne est à nous», «À moi la Chine». Non! Tout appartient à Dieu, à Krishna. Non seulement notre planète, mais aussi toutes celles de l'Univers. Pourtant, nous avons divisé même cette Terre en de nombreuses nations. À l'origine, il n'en était pas ainsi. Les récits historiques du *Mahabharata* nous informent que jadis, la planète entière était gouvernée par un seul empereur, qui résidait en Inde, plus précisément à Hastinâ-pura [Delhi]. Il y a encore 5 000 ans, un seul roi régnait sur toute la Terre : Maharâj Parîksit. Il n'y avait alors qu'un seul drapeau, un seul royaume : Bhârata-varsha. Mais avec le temps, celui-ci s'est trouvé de plus en plus réduit. Voici vingt ans, ce qui en restait – et qu'on nomme aujourd'hui l'Inde – fut encore partagé en deux pays : le Pakistan et l'Hindoustan. En vérité, l'Inde était une, mais elle fut réduite par cette partition. On continue donc de diviser la Terre.

LA TERRE
APPARTIENT À DIEU

Or, en fait, la planète entière appartient à Dieu et à nul autre. Comment pourrions-nous prétendre en être les propriétaires? Citons un exemple : vous me permettez d'habiter cette pièce. Si j'y reste une semaine et qu'ensuite je déclare : « Cette chambre m'appartient », serait-ce raisonnable? Aussitôt naîtra un désaccord, un problème.

Je devrais plutôt reconnaître la réalité, à savoir que vous avez la bonté de m'offrir cette pièce où vous m'autorisez à vivre confortablement. Et lorsque le temps viendra, je devrai partir.

Dans un même ordre d'idée, nous venons tous en ce royaume de Dieu les mains vides, pour repartir de la même manière. Comment pouvons-nous prétendre que ceci m'appartient, c'est mon pays, mon royaume ou ma planète? Pourquoi ces revendications? N'est-ce pas de la folie? Krishna dit donc : *sarva-loka-maheshvaram* – « Je suis le souverain de toutes les planètes. »

3) Krishna est le véritable ami de tous les êtres vivants; comme tel, Il réside dans le cœur de chacun. C'est un ami on ne peut plus merveilleux. Nous créons diverses amitiés en cet Univers matériel, mais elles se brisent toutes un jour. Ou encore, mon ami habite un endroit, et moi un autre. Krishna, toutefois, Se montre si amical qu'Il vit en moi, en mon cœur. C'est donc Lui le meilleur ami qui soit. Il n'est pas l'ami de quelques privilégiés; au contraire, Il vit même dans le cœur de la plus insignifiante créature en tant qu'Âme Suprême (Paramatma).

L'ÉQUATION DE LA PAIX

Ainsi, celui qui comprend clairement ces trois vérités trouve la paix. Car tel en est le vrai secret. On peut tout trouver dans la *Bhagavad-Gita;* il s'agit simplement de l'étudier. Tout comme en arithmétique, il existe tant d'opérations mathématiques : l'addition, la soustraction, la multiplication, la division... qu'il faut apprendre minutieusement. La *Bhagavad-Gita* est le traité par excellence de la science spirituelle.

Mais n'allez pas croire que je me fais l'apôtre de la *Gita* uniquement parce que je prêche la conscience de Krishna. Non. Les érudits et théologiens, non seulement de l'Inde mais du monde entier, l'acceptent. Peut-être savez-vous déjà qu'il en existe mille traductions : en français, en anglais, en allemand, bref, dans toutes les langues.

Même les musulmans lettrés lisent la *Bhagavad-Gita*. Je connais personnellement un professeur musulman en Inde, qui était un grand dévot de Krishna. Bien qu'il ne le révélait pas ouvertement, chaque année, il honorait Son avènement – appelé Janmastami – en jeûnant et en rédigeant un article sur Krishna. Lui et plusieurs autres musulmans lisent la *Gita*.

Et durant ma jeunesse à Calcutta, un Anglais était locataire chez l'un de mes amis. Lorsqu'il dut déménager, nous avons pris possession de la résidence. Nous avons remarqué qu'il possédait de nombreux livres, dont une copie de la *Bhagavad-Gita*. Mon ami, M. Mullik, un peu surpris de constater qu'un chrétien possédait une *Gita*, caressait le livre, éveillant chez l'autre le soupçon qu'on lui demanderait de s'en séparer. Il s'écria donc aussitôt : « M. Mullik, je ne peux vous offrir cet ouvrage; c'est ma raison d'être. »

Les érudits et philosophes de toutes les nations acceptent la *Bhagavad-Gita*. Je crois donc qu'il ne devrait y avoir qu'une Écriture – la *Bhagavad-Gita* –, un seul Dieu – Krishna –, un seul *mantra* – *Hare Krishna, Hare Krishna, Krishna Krishna, Hare Hare/ Hare Rāma, Hare Rāma, Rāma Rāma, Hare Hare*. Et qu'un devoir unique rassemble tous les êtres : le service de Krishna. Alors la paix régnera vraiment à travers le monde. Faites de votre mieux pour comprendre cette philosophie. Si vous l'appréciez, pourquoi ne pas l'adopter ? Vous désirez vous aussi apporter quelque chose au monde. Pourquoi pas la conscience de Krishna?

Le Seigneur dit : « Quoi que fasse un grand homme, la masse des gens marche toujours sur ses traces; le monde entier suit la norme qu'il établit par son exemple. » [*Gita* 3:21] Le principe est que le commun des mortels adopte l'exemple des personnes influentes dans la société. Dès qu'elles approuvent une chose, tous l'acceptent. Par la grâce de Krishna, vous êtes des leaders. Des millions de jeunes suivent votre exemple; ils vous aiment. Si vous leur offrez une spiritualité authentique, le visage du monde changera.

Le Mouvement pour la Conscience de Krishna n'est pas une invention nouvelle. D'un point de vue historique, il existe depuis au moins 5 000 ans. Car c'est à cette époque que Sri Krishna énonça la *Bhagavad-Gita,* sur laquelle repose la conscience de Krishna. Bien sûr, on la considère généralement comme un texte religieux de l'Inde. Mais il n'en est rien. Elle n'est pas destinée qu'à l'Inde ou aux Hindous, mais à tous les peuples du monde, voire à tous les êtres de la Création. Au quatorzième chapitre, le Seigneur dit : «Comprends, ô Arjuna, que toutes espèces de vie procèdent du sein de la Nature matérielle, et que J'en suis le Père, Celui qui donne la semence.» [*Gita* 14:4]

Ce qui indique que l'âme éternelle revêt diverses formes matérielles, temporaires, tout comme nous avons nous-mêmes aujourd'hui celles de femmes et d'hommes, jeunes et moins jeunes. Nous possédons tous une forme différente. L'Univers entier regorge de diverses formes de vie, mais Krishna affirme : « Je suis le Père de tous les êtres. » *Aham bīja-pradah pitâ;* le mot *pitâ* signifie « père ». Le Seigneur déclare ainsi que tous sont Ses fils.

AU-DELÀ
DU SECTARISME

Certains diront peut-être que Krishna est indien, ou qu'il est Hindou et quoi encore. Mais non! En vérité, Krishna est Dieu, la Personne Suprême, le Père – qui donne la semence – de tous les êtres de la planète. Notre mouvement fut inauguré par nul autre que Krishna. Il n'a donc rien de sectaire; bien au contraire, il est pour tous.

Et dans la *Bhagavad-Gita* [9:34], Krishna décrit la voie universelle pour L'adorer :

> *man-manâ bhava mad-bhakto*
> *mad-yâjî mâm namaskuru*
> *mâm evaisyasi yuktvaivam*
> *âtmânam mat-parâyanah*

« Emplis toujours de Moi ton mental, offre-Moi ton hommage et voue-Moi ton adoration. Parfaitement absorbé en Moi, certes tu viendras à Moi. »

Krishna dit : « Pense toujours à Moi; que tes pensées se portent sans cesse vers Ma Personne. Deviens simplement Mon dévot. Si tu aspires à adorer quelqu'un, que ce soit Moi. Si tu agis ainsi, tu es sûr de venir à Moi. » C'est une méthode très simple. Pensez toujours à Krishna. Vous n'avez rien à perdre, mais beaucoup à gagner. Ainsi, celui qui chante le *mantra* Hare Krishna ne subit aucune perte matérielle, mais accumule par surcroît des gains spirituels. Alors pourquoi ne pas l'essayer ? Il n'en coûte rien. Tout a un prix; il en va cependant autrement pour ce *mantra*. Krishna et Ses représentants dans la succession disciplique ne le vendent pas; ils le distribuent librement.

Nous disons simplement à tous : « Chantez Hare Krishna et dansez d'extase. » Quel merveilleux procédé!

Je suis donc venu en Angleterre, et plus spécifiquement chez vous, pour expliquer notre Mouvement pour la Conscience de Krishna, qui s'avère fort bénéfique. Vous êtes intelligents. Essayez de comprendre notre philosophie en faisant appel à toute votre raison, toute votre logique. Krishnadâs Kavirâj, l'auteur du *Caitanya-Caritamrta,* dit :

*sri-krsna-caitanya-daya karaha vicara
vicara karite citte pabe camatkara*

« Si vous êtes vraiment intéressés par la logique et le raisonnement, veuillez les appliquer à la miséricorde de Sri Caitanya Mahaprabhu et vous serez émerveillés. »

Appliquez donc votre discernement à la grâce du Seigneur Caitanya [avatar apparu au Bengale, il y a 500 ans, pour enseigner à tous le chant des Noms de Dieu]. Si vous étudiez minutieusement Sa miséricorde, vous constaterez combien elle est sublime. Nous n'obligeons personne à accepter notre Mouvement pour la Conscience de Krishna. Nous vous le présentons pour que vous l'analysiez. Nous ne formons pas un mouvement religieux sectaire : la conscience de Krishna est une science. Nous vous prions donc de la considérer attentivement à l'aide de toutes vos facultés intellectuelles. Je suis convaincu que vous en réaliserez la nature sublime. Avez-vous lu notre livre, *La Bhagavad-Gita telle qu'elle est* ?

John Lennon: J'ai lu quelques passages de la *Bhagavad-Gita.* Je ne me souviens plus de quelle version il s'agissait. Il en existe tellement de traductions différentes.

POURQUOI INTERPRÉTER
LA *BHAGAVAD-GITA* ?

Prabhupada: Il existe effectivement de nombreuses traductions et leurs auteurs en ont donné leur interprétation
personnelle. Voilà pourquoi j'ai publié *La Bhagavad-Gita
telle qu'elle est*. Même les auteurs de l'Inde déforment
parfois le message de la *Gita*. Mahatma Gandhi fut un
grand homme, mais il n'en chercha pas moins à interpréter à sa façon la *Gita*. Supposons que vous ayez un étui
pour stylo. Chacun sait à quoi il sert, mais quelqu'un pourrait dire: « Non, c'est autre chose; voilà mon interprétation. » Serait-ce raisonnable ?

L'interprétation n'est nécessaire que lorsqu'on ne comprend pas clairement. Si chacun saisit que cet étui contient un stylo, à quoi bon chercher une autre interprétation ? Le message de la *Bhagavad-Gita* est clairement
exprimé dans ses pages; elle brille avec autant d'éclat
que le soleil. Or, celui-ci ne requiert l'aide d'aucune
lampe pour dissiper les ténèbres. Citons un exemple. Le
premier verset de la *Gita* se lit ainsi :

> *dhrtarastra uvaca*
> *dharmaksetre kuruksetre*
> *samaveta yuyutsavah*
> *mamakah pandavas caiva*
> *kim akurvata sañjaya*

Les mots *dhrtarastra uvaca* signifient que le roi Dhritarastra,
le père de Duryodhan, interroge son secrétaire – Sañjaya
– au sujet de ses fils qui affrontent les Pandavas sur le
champ de bataille de Kurukshetra. Le mot *mâmakâh* se
traduit par « mes fils ». Le terme *pândavâh* désigne les fils
du roi Pândou, le frère cadet de Dhritarâstra, et *yuyutsavah*

signifie « désireux de combattre ». Dhritarâstra dit donc :
«Mes fils et ceux de mon jeune frère Pândou sont rassem-
blés sur le champ de bataille, prêts à se livrer bataille.» Le
site de la bataille se nomme Kurukshetra; c'est aussi un lieu
de pèlerinage (*dharmaksetra*). *Kim akurvata* : « Après
s'être assemblés à Kurukshetra, qu'ont-ils fait », demande
Dhritarâstra. Kurukshetra existe encore en Inde. Avez-vous
visité l'Inde ?

John Lennon: Oui, mais pas cet endroit. Nous sommes allés
à Hrishikesh.

Prabhupada: C'est aussi un lieu de pèlerinage célèbre.
Kurukshetra, situé près de Delhi, est reconnu comme un
lieu de pèlerinage depuis l'époque védique. Les *Védas*
affirment en effet : *kukruksetre dharmam yâjayet* – «Si vous
désirez célébrer une cérémonie religieuse, Kurukshetra est
l'endroit par excellence pour cela.» Voilà pourquoi on
l'appelle *dharmaksetra,* ou lieu de pèlerinage. En d'autres
mots, c'est un site historique réel. Pareillement, les Pândavas et les fils de Dhritarâstra sont des personnages historiques. Leur histoire est consignée dans le *Mahabharata*.
Malgré tous ces faits, Gandhi interpréta le mot *kukruksetra*
comme signifiant « le corps » et les Pândavas comme
étant «les sens». Nous nous opposons à de telles interprétations, courantes de nos jours. Pourquoi interpréter ainsi la
Bhagavad-Gita quand les faits sont présentés si clairement?

PHILOSOPHIES
À LA MANQUE

La *Bhagavad-Gita* est un ouvrage aussi populaire qu'authentique. Des auteurs sans scrupule s'efforcent donc
d'avancer leurs philosophies à la manque sous forme de
commentaires sur la *Gita*. On compte ainsi quelque 664

fausses interprétations de cette Écriture, que chacun croit pouvoir interpréter à sa guise. Mais pourquoi? Pourquoi le permettrait-on ? Nous disons donc : « Non, vous ne pouvez pas interpréter la *Bhagavad-Gita*. » Sinon, où est son autorité ? Krishna, le Seigneur Suprême, n'a pas laissé à des hommes de troisième classe le soin de l'expliquer. Il a tout énoncé de façon non équivoque. Pourquoi l'homme moyen déformerait-il Ses paroles ? Voilà notre objection.

Voilà pourquoi j'ai publié *La Bhagavad-Gita telle qu'elle est*. Cet écrit contient une théologie et une philosophie très élevées; il traite également de science, de sociologie et de politique. Tout y est expliqué lucidement par Krishna. Notre Mouvement pour la Conscience de Krishna consiste ainsi à présenter la *Bhagavad-Gita* telle qu'elle est. Voilà tout. Nous n'avons rien inventé.

[Une femme entre dans la pièce.]

John Lennon: Voici Jill, la femme de Dan, qui habite ici avec nous.

Prabhupada: Enchanté. Soyez heureux et rendez tout le monde heureux. Voilà en quoi consiste la conscience de Krishna. *Sarva sukhena bhavantu* : soyez tous heureux. Voilà le principe védique qu'enseigne Caitanya Mahaprabhu, qui désire voir le Mouvement pour la Conscience de Krishna se répandre dans chaque ville et village du monde entier. Cela apportera le bonheur à tous : voilà Sa prophétie. Le but de tout idéal ou mission noble doit être de rendre les gens heureux. Car on ne trouve aucun bonheur au sein de l'existence matérielle. C'est un fait; aucun bonheur ne règne ici-bas.

LES LOIS INVINCIBLES
DE LA NATURE

Ce monde n'est pas un lieu de félicité. Krishna dit Lui-même dans la *Bhagavad-Gita* que cet Univers est temporaire et saturé de souffrances (*duhkhalayam asasvatam*). Tout ici est éphémère. Vous pouvez accepter que ce monde matériel est un lieu de souffrance et dire : « C'est vrai, c'est un endroit misérable, mais je l'accepte.» Une telle attitude, toutefois, ne servira à rien, car la Nature matérielle ne vous permettra même pas de rester et souffrir. Ce monde étant temporaire, vous devrez le quitter un jour. Krishna, cependant, affirme qu'on peut mettre un terme à cette existence exécrable :

« Quand ils M'ont atteint, les yogis imbus de dévotion, ces nobles âmes, s'étant ainsi élevés à la plus haute perfection, jamais plus ne reviennent en ce monde transitoire, où règne la souffrance. » [*Bhagavad-Gita* 8:15] « Celui qui vient à Moi, nous dit Krishna, n'a plus à subir encore les conditions de vie déplorables de l'Univers matériel. »

Comprenons bien ce que Krishna dit dans ce passage. La Nature se montre si cruelle. Le président Kennedy se croyait l'homme le plus heureux, le plus comblé. Jeune, il fut élu président; il avait de plus une belle épouse et de beaux enfants. À travers le monde, on le respectait. Mais il a suffi d'une fraction de seconde et tout était fini. Son poste était temporaire. Où est-il maintenant ? Si la vie est éternelle, si l'être vivant l'est aussi, qu'est-il devenu ? Que fait-il en ce moment ? Est-il heureux ou malheureux ? S'est-il réincarné en Amérique ou en Chine ? Personne ne peut répondre à ces questions.

LE CHANGEMENT
DE CORPS

Mais le fait demeure qu'en tant qu'individu, il est éternel; il existe donc quelque part. Telles sont les prémices de la philosophie de la *Gita : na hanyate hanyamâne sarire;* l'être n'est pas anéanti avec le corps, mais continue d'exister. Tout comme vous aviez autrefois un corps d'enfant. Ce corps n'est plus, mais vous existez toujours. Il est donc naturel de conclure que lorsque votre corps actuel cessera d'être, vous continuerez d'exister dans une nouvelle forme physique. Cela n'est guère difficile à comprendre. L'âme est éternelle et le corps temporaire. C'est un fait.

Cette vie sert ainsi à façonner notre prochain corps. Telle est la connaissance védique. Nous créons en cette vie notre corps futur. Prenons un exemple : l'enfant étudie sérieusement à l'école, préparant ainsi son corps d'adulte. Jeune homme, il jouira des fruits de son éducation en obtenant une belle situation, une jolie maison. C'est dans ce sens qu'on peut dire que le jeune garçon prépare à l'école son prochain corps. Dans un même ordre d'idée, nous créons tous notre futur corps selon notre karma. Ce karma obligera la plupart des gens à revêtir un nouveau corps matériel. Mais Krishna dit qu'il est possible de façonner un corps spirituel afin de Le rejoindre. Il affirme que ceux qui L'adorent atteindront Sa planète après leur mort. L'entière philosophie védique enseigne que pour se rendre sur une planète spécifique, il faut être doté d'un corps adapté à son atmosphère. On ne saurait s'y rendre dans notre corps actuel. On cherche maintenant à atteindre la Lune avec ce corps physique, mais on ne peut s'y établir de façon définitive. Krishna nous révèle toutefois l'art d'atteindre d'autres planètes, dont la Sienne, d'entre toutes la plus haute :

« Ceux qui vouent leur culte aux *dévas* renaîtront parmi les *dévas*, parmi les spectres et autres esprits ceux qui vivent dans leur culte, parmi les ancêtres les adorateurs des ancêtres; de même, c'est auprès de Moi que vivront Mes dévots. » [*Gita* 9:25]

Ces derniers ne reviennent pas vivre en ce monde misérable. Pourquoi ? Parce qu'ils ont atteint la plus haute perfection; ils sont retournés auprès de Krishna. Telle est donc la plus haute bénédiction pour l'humanité : éduquer les gens sur la voie du retour au royaume de Dieu, où tous pourront danser avec Krishna. Avez-vous déjà vu des peintures de la danse *rasa* ?

John Lennon: Quelles peintures ?

Disciple : Celles où l'on voit Krishna dansant avec Radha et les *gopis,* ou jeunes villageoises.

John Lennon: Vous voulez dire celle qui se trouve sur l'un des murs du temple ?

Prabhupada: Oui. Nous pouvons ainsi gagner le monde spirituel pour y danser d'extase avec Krishna, libre de toute angoisse. Les êtres vivants peuvent s'unir à Lui de tant de façons : en tant que serviteur, ami, parent, amante, selon leur choix. Krishna dit :

> *ye yathâ mâm prapadyante*
> *tâms tathaiva bhajâmy aham*

« Tous, selon qu'ils s'abandonnent à Moi, en proportion Je les récompense. » [*Gita* 4:11]

Développez simplement la conscience relative à la relation que vous désirez établir avec Krishna. Il est prêt à vous accepter de cette façon. Telle est la solution à tous les problèmes.

Rien en ce monde n'est permanent, extatique ou tout empreint de connaissance. Aussi éduquons-nous les jeunes d'Occident dans la science de Krishna. Tous peuvent en profiter, car elle s'avère très bénéfique. Efforcez-vous aussi de la comprendre et si vous l'appréciez, acceptez-la. Vous cherchez quelque chose de sublime. Trouvez-vous ma proposition déraisonnable ? Vous êtes intelligents; essayez d'approfondir cette science.

MUSIQUE ET *MANTRAS*

Vous êtes également d'excellents musiciens. Les mantras védiques furent tous transmis par voie musicale. Le *Sâma Véda* est plus particulièrement riche en musique :

> *yam brahma varunendra-rudra-marutah*
> *stunvanti divyaih stavair*
> *vedaih sânga-pada-kramopanisadair*
> *gâyanti yam sâma-gâh*

« J'offre mon humble hommage au Seigneur Suprême, que Brahma, Varouna, Indra, Shiva, les Marouts et autres grands *dévas* glorifient à travers des hymnes de transcendance. Ceux qui connaissent le *Sâma Véda* chantent Sa gloire grâce aux différents hymnes védiques.»

[*Srimad-Bhagavatam* 12.13.1]

sâmagâh signifie « les adeptes du *Sama Véda* » et *gâyanti,* « qui s'adonnent toujours à la musique ». C'est à l'aide de vibrations musicales qu'ils abordent l'Être Suprême. Le mot *gâyanti* signifie aussi « chanter »; les *mantras* védiques furent donc conçus pour être chantés. La *Bhagavad-Gita* [« Chant du Seigneur Bienheureux »] et le *Srimad-Bhagavatam* peuvent être chantés de façon merveilleuse. Ainsi doit-on vibrer les *mantras* des textes védiques. Le seul fait d'entendre ces vibrations est bénéfique, même si on n'en comprend pas la signification. [Prabhupada chante ici quelques *mantras* du *Bhagavatam*.] Tout peut s'acquérir grâce aux seules vibrations transcendantales.

Puis-je vous demander de quelle philosophie vous êtes les adeptes ?

John Lennon: Adeptes ?

Yoko Ono: Nous ne sommes pas des adeptes. Nous vivons, un point c'est tout.

George Harrison: Nous avons fait de la méditation. Je récite pour ma part un *mantra*.

Prabhupada: Il y a aussi le *mantra* Hare Krishna.

John Lennon: Mais notre *mantra* ne se chante pas.

George Harrison: Non.

John Lennon: Nous l'avons reçu de Maharishi – un *mantra* chacun.

Prabhupada: Ses *mantras* ne doivent pas être révélés.

George Harrison: Non... ils ne doivent pas être prononcés à voix haute.

John Lennon: Non, c'est un secret.

Prabhupada: Permettez que je vous raconte, à ce sujet, l'histoire de Râmânuja, grand maître de la conscience de Krishna. Son propre maître spirituel lui donna un *mantra* en disant : « Cher disciple, prononce ce *mantra* à voix basse, car nul autre ne doit l'entendre que toi. C'est un grand secret. » Râmânuja s'enquit de son *guru* : « Quel effet pro- duit-il ? » Le maître de répondre : « En le prononçant de façon méditative, tu obtiendras la libération. » Râmânuja se rendit aussitôt à une grande assemblée publique et s'écria : « Prononcez tous ce *mantra* et vous serez libérés. »

[*Rires*] Puis, il revint auprès du maître qui, furieux, le semonça : « Je t'avais pourtant bien averti de ne pas le dire à voix haute! » Râmânuja lui répondit : « Je sais, j'ai commis une offense. Punis-moi donc comme bon te semble. Sachant que ce *mantra* confère la libération, je l'ai révélé. Que tous soient libérés et que j'aille en enfer, que m'importe. Mais si ce *mantra* peut sauver tous les êtres, qu'on le diffuse partout. » L'embrassant, son maître spirituel lui dit : « Tu es plus grand encore que moi. » Vous voyez ? Pourquoi garder secret un *mantra* doté d'un tel pouvoir ? Mieux vaut le diffuser. Les gens souffrent. Caitanya Mahaprabhu enseigne ainsi qu'il faut chanter à voix haute le *mantra* Hare Krishna. Quiconque l'entend, fût-il même oiseau ou bête, sera libéré.

QUEL *MANTRA* CHOISIR ?

Yoko Ono: Si ce *mantra* est si puissant, pourquoi chanter quoi que ce soit d'autre ? Vous parliez de chansons et de différents *mantras*. À quoi servirait-il de les chanter ?

Prabhupada: Il en existe d'autres, mais le *mantra* Hare Krishna est spécifiquement recommandé pour cet âge. Mais, au risque de me répéter, des sages comme Nârada Mouni chantaient divers *mantras* védiques en s'accompagnant sur des instruments à cordes, dont la *vînâ* et la *tamboura*. L'art de chanter sur un fond musical n'est pas récent; il se pratique depuis des temps immémoriaux. Mais l'*Agni Pourâna*, le *Brahmanda Pourâna* et la *Kali-santarana Upanishad* – entre autres écrits védiques – préconisent le chant du *mantra* Hare Krishna pour cette ère. De plus, Krishna Lui-même, en la personne de Sri Caitanya, prôna le chant de ce *mantra*. Et nombreux furent ceux qui suivirent Son exemple.

Lorsqu'un savant fait une nouvelle découverte, elle devient propriété publique et tous peuvent en profiter. De même, chacun doit pouvoir tirer profit du pouvoir d'un *mantra*. Pourquoi le cacher ? S'il a quelque valeur, pourquoi le réserver à une seule personne ?

John Lennon: Qu'ils soient secrets ou non, tous les *mantras* ne sont que différents Noms de Dieu. Qu'importe alors lequel on choisit.

Prabhupada: Cela importe beaucoup. Prenons un exemple : la pharmacie vous offre divers médicaments qui guérissent différents maux. Mais vous devez néanmoins vous munir d'une prescription pour obtenir un remède spécifique. Sinon, le pharmacien refusera de vous le vendre. Vous aurez beau vous rendre à la pharmacie et dire : «Donnez-moi un médicament quelconque; je suis souffrant », on vous demandera : « Avez-vous une prescription ? »

PRESCRIPTION POUR L'ÂGE DE KALI

Dans un même ordre d'idée, les Écritures prescrivent le *mantra* Hare Krishna pour cet âge de Kali [âge de querelle et d'hypocrisie où nous vivons]. Et le grand maître Caitanya Mahaprabhu, en qui nous reconnaissons une incarnation divine, le recommande également. Nous avons pour principe d'adhérer aux instructions des autorités en matière de spiritualité. Il faut marcher sur leurs traces; tel est notre devoir. Le *Mahabharata* déclare :

Mahajano yena gatah sa panthâh

« Les vains arguments ne sont guère concluants. Toute personne dont l'opinion ne diffère point de celle d'autrui ne peut être considérée comme un grand sage. La seule étude des *Védas*, lesquels s'avèrent très variés, ne saurait nous mener à la voie juste qui permet de comprendre les principes de la spiritualité. Cette vérité inébranlable se cache dans le cœur de l'âme réalisée et entièrement pure. Aussi, comme l'affirment les Écritures, doit-on accepter toute voie axée sur le perfectionnement de l'être que préconisent les *Mahajans*. » [*Mahabharata, Vana-parva* 313.117]

Ce *mantra* védique affirme qu'il est très difficile d'approcher la Vérité Absolue par la logique spéculative, car nos arguments et notre raison sont limités. De plus, nos sens souffrent d'imperfection. Il existe une variété déroutante d'Écritures et chaque philosophe avance une opinion différente; aucun philosophe ne peut être considéré important s'il ne vainc tous ses adversaires en matière de philosophie. Une théorie en remplace une autre, de sorte qu'on ne saurait accéder à la Vérité Absolue par la spéculation philosophique. La Vérité Absolue s'avère très confidentielle; comment l'atteindre alors ? En marchant sur les traces des grandes âmes dont les efforts ont déjà été couronnés de succès. La méthode philosophique de la conscience de Krishna consiste donc à suivre dans le sillage d'autorités tels Krishna, Caitanya et les maîtres spirituels de la succession disciplique. Prenez refuge d'autorités authentiques et vivez selon leur enseignement; voilà ce que recommandent les *Védas*. Ainsi atteindrez-vous le but ultime.

Sri Krishna préconise également cette voie dans la *Bhagavad-Gita* [4:1] :

« Le Seigneur Bienheureux dit : J'ai donné cette science impérissable, la science du yoga, à Vivasvan, le *déva* du Soleil, et Vivasvan l'enseigna à Manou, le père de l'humanité. Et Manou l'enseigna à Ikshvâkou. »

Krishna dit ici : « Mon cher Arjuna, ne crois pas que la conscience de Krishna est une invention récente. Non, elle est éternelle et Je l'ai d'abord énoncée à Vivasvân, le *déva* du Soleil, celui-ci l'a transmise à son fils Manou qui, à son tour, l'a donnée à son propre fils, le roi Ikshvâkou. »

Le Seigneur explique encore :

> *evam paramparâ-prâptam*
> *imam râjarsayo viduh*
> *sa kâleneha mahatâ*
> *yogo nastah parantapa*

« Savoir suprême, transmis de maître à disciple, voilà comment les saints rois l'ont reçu et réalisé. Mais au fil du temps, la succession disciplique s'est rompue, et cette science, en son état de pureté, semble maintenant perdue. » [*Gita* 4:2]

ON NE PEUT
INVENTER UN *MANTRA*

Evam parampara-praptam : ainsi, ce savoir est transmis par la succession disciplique. *Sa kaleneha mahata yogo nastah parantapa* : mais avec le temps, la succession s'est rompue. Par conséquent, dit Krishna, Je t'enseigne à nouveau cette sagesse. Tout *mantra* doit donc être reçu de la succession disciplique. Les *Védas* disent à ce sujet : *sampradaya-vihina ye mantrâs te nisphala matah*; s'il n'est pas reçu de la succession disciplique, votre *mantra* ne portera aucun fruit. On ne peut inventer un *mantra*. Il doit être reçu de l'Absolu à travers la succession disciplique.

Selon la philosophie de la conscience de Krishna, les *mantras* sont transmis par quatre successions discipliques : celle de Shiva, celle de la déesse Lakshmi, celle de Brahma et celle des quatre Koumaras. Il faut donc recevoir son *mantra* de l'une de ces quatre *sampradayas*; ce n'est qu'alors qu'il produira l'effet, le fruit convoité.

Yoko Ono: Si le *mantra* jouit d'un tel pouvoir, qu'importe de qui on le reçoit ?

Prabhupada: Cela importe beaucoup. Citons un exemple: le lait est un aliment très nutritif, c'est un fait connu de tous. Mais le lait touché par la langue d'un serpent agit comme un poison.

Yoko Ono: Le lait est matériel.

Prabhupada: En effet. Mais puisque vous cherchez à saisir des concepts spirituels à l'aide de vos sens matériels, nous devons employer des exemples matériels.

Yoko Ono: Non, je ne crois pas que vous deviez m'enseigner le côté matériel. Le *mantra* n'est pas matériel; il doit être de nature spirituelle. Je ne pense pas qu'on puisse le dénaturer.

Prabhupada: Mais si vous ne recevez pas votre *mantra* d'une source authentique, il n'aura peut-être rien de spirituel.

John Lennon: Comment savoir de toute façon ? Si un de vos disciples ou l'un de nous approche un maître spirituel quelconque, comment savoir s'il est authentique ou non ?

Prabhupada: Il ne faut pas aller vers n'importe quel maître spirituel.

COMMENT RECONNAÎTRE UN VRAI *GURU* ?

John Lennon: En effet. Il faut approcher un vrai maître. Mais comment le distinguer des charlatans ?

Prabhupada: Il doit appartenir à une *sampradaya,* une succession disciplique reconnue.

John Lennon: Et si ce maître qui n'y appartient pas enseigne la même chose que celui qui en fait partie ? Et s'il dit que son *mantra* vient des *Védas* et qu'il semble parler avec autant d'autorité que vous ? C'est déroutant.

Prabhupada: Si le *mantra* est vraiment reçu d'une succession disciplique authentique, il agira.

John Lennon: Mais le *mantra* Hare Krishna est-il le meilleur d'entre tous ?

Prabhupada: Oui.

Yoko Ono: Pourquoi alors se donner la peine de dire quoi que ce soit d'autre ?

Prabhupada: En effet. Nous affirmons que ce *mantra* suffit pour atteindre la perfection, la libération.

George Harrison: N'est-ce pas comme les fleurs ? Une personne aimera les roses tandis qu'une autre préférera les œillets. N'est-ce pas à chaque dévot de décider pour lui-même? Une personne réalisera que le *mantra* Hare Krishna favorise son évolution spirituelle, alors qu'un autre *mantra* profitera davantage à une deuxième personne. N'est-ce pas une affaire de goût, comme choisir une fleur? Certains préfèrent une fleur à une autre.

Prabhupada: Néanmoins, on considère qu'une rose odorante vaut mieux qu'une fleur sans parfum.

Yoko Ono: Dans ce cas, je ne peux...

Prabhupada: Essayons de comprendre l'analogie des fleurs.

Yoko Ono: D'accord.

Prabhupada: Vous pouvez être attiré par une fleur et moi par une autre. On peut cependant établir une distinction : certaines variétés sont odorantes, d'autres non.

Yoko Ono: Les fleurs odorantes seraient-elles supérieures ?

Prabhupada: Oui. Par conséquent, l'attrait qu'on éprouve pour une fleur particulière ne détermine pas laquelle est supérieure. De même, l'attrait individuel pour une voie spirituelle n'en détermine pas la supériorité. Krishna dit dans la *Bhagavad-Gita* [4:11]:

« Tous suivent Ma voie, d'une façon ou d'une autre, et selon qu'ils s'abandonnent à Moi, en proportion Je les récompense. »

Krishna est le Suprême, l'Absolu. Lorsqu'on désire établir une relation spécifique avec Lui, Il Se présente en conséquence. C'est comme l'analogie des fleurs; vous pouvez désirer une fleur jaune sans parfum. Cette fleur sera pour vous. Mais si quelqu'un préfère une rose; Krishna la lui donnera. Chacun obtient la fleur de son choix; mais si on les compare entre elles, la rose est dite supérieure.

Krishna Se révèle donc différemment à différents chercheurs. La réalisation de la Vérité Absolue comporte trois aspects : Brahman, Paramatma et Bhagavan. Les *jñânîs,* ou philosophes empiristes, atteignent le Brahman impersonnel; les yogis se concentrent sur Paramâtmâ, l'Âme Suprême. Les dévots, eux, visent Bhagavan, Krishna, l'Être Suprême. Il n'existe toutefois aucune différence entre Krishna, l'Âme Suprême et Brahman. On les compare à la lumière, par opposition aux ténèbres. Or, même la lumière comporte une certaine variété.

LES TROIS ASPECTS
DE L'ABSOLU

Les *Védas* comparent les trois aspects de l'Absolu aux rayons du soleil, au disque solaire et au *déva* du soleil, qui vit au cœur de l'astre du jour. Lui aussi est source de lumière, sinon, d'où vient la radiance du soleil ? On compare Brahman – l'aspect impersonnel du Divin – aux rayons du soleil, l'Âme Suprême au soleil même, et Krishna à la personne du *déva* solaire. Mais ensemble, ils forment le soleil. Néanmoins, les distinctions ci-dessus demeurent. À titre d'exemple, vous ne pouvez pas dire que le soleil même se trouve dans votre chambre parce que ses rayons entrent par la fenêtre. Ce serait une erreur de le prétendre puisqu'une distance de quelque 150 millions de kilomètres le sépare de la Terre. Dans un sens, le soleil est présent dans votre chambre, mais c'est une question de degrés. La réalisation spirituelle comporte ainsi trois différents degrés: Brahman, Paramatma et Bhagavan.

Yoko Ono: Mais vous disiez que le lait touché par la langue d'un serpent agit comme un poison. Plusieurs Églises transmettaient probablement un enseignement valable à l'origine, mais qui s'est détérioré avec le temps. Or, comment savoir si le message de Brahman dont vous parlez conservera toujours sa pureté ? Comment être sûr que des serpents ne viendront pas l'empoisonner ?

DEVENIR SÉRIEUX

Prabhupada: C'est une affaire individuelle; vous devez l'étudier sérieusement.

Yoko Ono: Qu'entendez-vous par là ? On naît sérieux ou frivole.

Prabhupada: Par sérieux, j'entends comprendre ce qui distingue entre eux Brahman, Paramatma et Bhagavan.

Yoko Ono: Mais toute décision finale dépend-elle de la connaissance ?

Prabhupada: Tout repose sur la connaissance. Comment progresser sans elle ? Étudier sérieusement signifie acquérir le savoir.

Yoko Ono: Mais pas toujours bien informés sont ceux qui...

Prabhupada: En effet. Personne ne peut connaître entièrement la Vérité Absolue. Cela est dû à notre savoir fort imparfait. Nous devons néanmoins chercher autant que possible à l'appréhender. Les *Védas* enseignent : *avânmânasa-gocara* – si grand et infini est l'Absolu qu'on ne peut Le connaître pleinement; nos sens ne nous le permettent pas. Mais nous devons essayer dans la mesure du possible. Ce qui est possible, après tout, puisque nous sommes des fragments de l'Absolu. Toutes Ses qualités sont donc aussi présentes en nous, bien qu'en quantité infime, mais néanmoins considérable comparativement au savoir matériel.

Le savoir matériel n'a guère de valeur; c'est une connaissance voilée. Mais le savoir de qui atteint la libération surpasse de loin la plus grande science matérielle. Efforçons-nous donc, autant que possible, de comprendre Brahman, Paramatma et Bhagavan. Selon le *Srimad-Bhagavatam* [1.2.11] :

« Les doctes et sages spiritualistes qui connaissent la Vérité Absolue nomment cette substance unique, au-delà de toute dualité du nom de Brahman, Paramatma et Bhagavan. »

Encore là, qu'est-ce qui distingue entre eux Brahman, Paramatma et Bhagavan ? Rien en réalité, puisqu'il s'agit d'une substance unique. Prenons un autre exemple : imaginez que vous aperceviez une lointaine montagne. D'abord, elle ressemblera à un nuage fumeux. Puis, si vous vous en approchez, vous verrez qu'elle est recouverte de végétation. Et si vous en foulez le sol, vous découvrirez de nombreuses formes de vie: humains, animaux, arbres... Mais de loin, elle vous apparaissait comme un nuage imprécis.

Ainsi, quoique la Vérité Absolue soit immuable, divers angles de vision nous la révèlent différemment. La réalisation de Brahman se compare à la vision lointaine d'une montagne. La vision de Paramatma ressemble à celle de la végétation qui couvre la montagne. Enfin, réaliser la Vérité Absolue sous son aspect personnel – Bhagavan – revient à contempler la montagne de si près qu'elle vous apparaît dans ses moindres détails. Ainsi, quoique celui qui voit Brahman, celui qui voit Paramatma et celui qui voit Krishna concentrent leur attention sur une seule et unique réalité, leurs réalisations diffèrent dû à leur position respective.

Tous ces points sont admirablement expliqués dans la *Bhagavad-Gita* [10:8], où Krishna dit :

« De tous les mondes, spirituels et matériels, Je suis la source, de Moi tout émane. Les sages qui connaissent parfaitement cette vérité, de tout leur cœur Me servent et M'adorent. »

Et dans un autre passage de la *Gita* [14:27] : *brahmano hi pratisthâham*. La connaissance de Brahman et de Paramatma est donc comprise dans celle de Krishna. Qui connaît Krishna connaît aussi Brahman et Paramatma. Cette personne acquiert naturellement le fruit de la méditation, à savoir la réalisation de l'Âme Suprême – Paramatma – et celui de la spéculation philosophique empirique : la réalisation de Brahman. De plus, elle obtient de servir personnellement le Seigneur Suprême. Une étude comparée nous fait donc constater que la connaissance de Krishna inclut toutes les branches du savoir. Ce que confirment d'ailleurs les *Védas* : *yasmin vijñate sarvam evam vijñatam bhavati* – « Le savoir total se révèle à quiconque comprend le Suprême » – et la *Bhagavad-Gita*.

Il s'agit donc avant tout d'étudier sérieusement la sagesse védique, ce que je vous prie de faire. En comprenant Krishna, vous comprendrez tout. Paramatma est l'aspect localisé de l'Absolu. Le Seigneur dit : *isvarah sarva-bhûta-nam hrddese 'rjuna tisthati* – « Je Me tiens dans le cœur de tous les êtres, ô Arjuna. » [*Gita* 18:61] Brahman est la radiance de l'Absolu. Enfin, Krishna est Bhagavan – ou Param Brahman – Dieu, la Personne Suprême. Si vous connaissez pleinement Krishna, vous connaissez aussi Brahman et Paramatma. Mais qui ne connaît que Brahman ou Paramatma ne sait rien de Krishna. Là encore, on peut citer l'exemple du soleil. Si vous n'en connaissez que les rayons, vous ignorez tout du disque solaire ou de son déva-maître. Mais quand vous êtes en présence de celui-ci, vous connaissez automatiquement le soleil et les rayons solaires.

D'un point de vue impartial, il est donc recommandé d'approfondir la science de la Vérité Absolue, laquelle englobe toutes les branches du savoir. Krishna dit :

> *bahunam janmanam ante*
> *jñanavan mam prapadyate*
> *vasudevah sarvam iti*
> *sa mahatma sudurlabhah*

« Après de nombreuses renaissances, lorsqu'il sait que Je suis tout ce qui est, la cause de toutes les causes, l'homme au vrai savoir s'abandonne à Moi. Rare un tel *mahatma*. » [*Gita* 7:19]

Krishna affirme ici qu'après de nombreuses vies consacrées à cultiver le savoir, l'on devient vraiment sage (*jñanavan*). *bahunam janmanam ante jñanavan mam prapadyate* : un tel sage s'abandonne à Moi, Krishna. Pourquoi ? *Vasudevah sarvam iti* : il comprend que Vasudeva – Krishna – est tout. *Sa mahatma sudurlabhah* : rare un tel *mahatmâ*. Krishna dit être l'origine, la source de tout ce qui est. Celui qui maîtrise parfaitement cette science fait preuve d'intelligence (*bouddha*), et s'engage dans la conscience de Krishna.

Le premier aphorisme du *Védanta-sutra* se lit ainsi : *athato brahma-jijñasa* – «On doit maintenant s'enquérir de Brahman, l'Absolu. » Mais qu'est-ce que Brahman? Le second aphorisme offre la réponse à cette question: *janmady asya yatah* – «Brahman, l'Absolu, est Celui dont tout émane. » Dans la *Bhagavad-Gita*, l'Absolu dit: *mattah sarvam pravartate*, tout émane de Moi. Si vous étudiez minutieusement la littérature védique, vous en conclurez que Krishna est l'Être Suprême. La conscience de Krishna inclut donc tout autre savoir. La fortune du millionnaire comporte naturellement des billets de dix, cinq cents et mille dollars. Mais celui qui ne possède que dix dollars, ou même cinq cents dollars, ne peut prétendre avoir un million en sa possession. Dans le même ordre d'idée, la conscience de Krishna comprend toute sagesse spirituelle, fait reconnu par tous les *âchâryas*, ou grands maîtres en matière de spiritualité.

EXPLOITATION
DE LA BHAGAVAD-GITA

Prabhupada: Pourquoi exploiter le livre de Krishna [la *Bhagavad-Gita*] pour prêter un semblant d'autorité à des spéculations ?

George Harrison: Ils veulent seulement la présenter en anglais.

Prabhupada: Non, non, là n'est pas la question. Ils déforment la pensée de Krishna. Qu'ils la traduisent en anglais ou en perse, peu importe. Le vrai problème est qu'ils exploitent l'autorité de la *Bhagavad-Gita* pour avancer leurs propres élucubrations. Pourquoi la citeraient-ils pour appuyer leur propre pensée, qui diffère totalement de celle de Krishna ? S'ils veulent écrire sur la *Bhagavad-Gita*, qu'ils s'abstiennent d'y introduire leurs élucubrations pour plutôt présenter directement les conclusions de la *Gita*. Pourquoi ne pas présenter la *Bhagavad-Gita* telle qu'elle est ? Voilà notre proposition.

George Harrison: Mais la *Bhagavad-Gita* telle qu'elle est... c'est du sanskrit.

Prabhupada: Non, nous l'avons traduite en anglais.

George Harrison: Mais les autres aussi.

John Lennon: Oui, ils l'ont traduite, vous l'avez traduite. Ce sont toutes des traductions.

Prabhupada: En effet. Toute *Bhagavad-Gita* que vous lirez sera une traduction. Vous ne pouvez pas lire le texte original.

George Harrison: Quel est le texte original ?

Prabhupada: C'est le texte sanskrit.

Yoko Ono: Oui, mais nous ne lisons pas le sanskrit.

John Lennon: Ce serait inutile pour moi de lire le sanskrit, car je n'y comprends rien.

Prabhupada: Vous devez donc vous contenter d'une traduction.

George Harrison: Mais il en existe des centaines.

John Lennon: Et elles avancent toutes une interprétation différente.

George Harrison: Les auteurs de celles que j'ai lues prétendent tous que la leur est la meilleure. Et parfois, une version contiendra des éléments qu'une autre traduction ne comportait pas.

Disciple: En avez-vous déjà lu une sans commentaire ?

George Harrison: Tu veux dire seulement le texte sanskrit ?

Disciple: Non, seulement la traduction.

George Harrison: C'est ce qu'elles sont en réalité, des traductions. Certaines éditions contiennent également un commentaire. Mais en ce qui concerne la traduction, elle dépend uniquement du traducteur.

QUI EST
L'AUTORITÉ EN LA MATIÈRE ?

Disciple: Exactement. Il faut donc la recevoir d'une autorité en la matière.

John Lennon: Mais comment distinguer une autorité d'une autre ?

George Harrison: Le monde est saturé d'autorités, tu sais.

Yoko Ono: Il existe cinq cents autorités, tu sais, qui...

John Lennon: Pour ma part, j'ai découvert que le mieux était de glaner par-ci, par-là.

Yoko Ono: Ce ne sont pas des paroles en l'air. Nous voulons votre opinion sur ce point. En d'autres mots, quelle serait votre réponse à cette question d'autorité? Vous disiez qu'on compte plus de cinq cents versions de la *Bhagavad-Gita*. Pourquoi la traduirait-on sans être une autorité en la matière ? Qui fait autorité ?

Prabhupada: Le texte original fait autorité.

Yoko Ono: D'accord. Mais chaque traducteur ne s'en réfère-t-il pas au texte original?

Prabhupada: Oui.

Yoko Ono: Quelle différence peut-il exister alors entre une traduction et une autre ?

LA SUCCESSION DISCIPLIQUE

Prabhupada: Tout repose sur le principe de la succession disciplique, ou *sampradaya*. Si nous ne recevons pas la *Gita* d'une succession disciplique authentique, elle ne nous sera d'aucune aide. Dans notre introduction à la *Gita,* nous avons expliqué clairement qu'il n'y a pas d'autre autorité en la matière que Krishna. Car c'est Lui qui l'a énoncée. Pouvez-vous nier que Krishna est l'autorité ?

Yoko Ono: Oui, mais a-t-Il traduit la *Gita* en anglais ?

Prabhupada: Le point ici est que Krishna incarne l'autorité sur la *Gita*. Sommes-nous d'accord ?

Yoko Ono: Oui.

Prabhupada [*à John Lennon*]**:** Es-tu d'accord ?

John Lennon: Oui.

Prabhupada: Dans ce cas, il faut voir ce que dit Krishna. Voilà où réside l'autorité. Pourquoi écouter l'opinion divergente de quelqu'un d'autre ? Si vous désirez donc comprendre ce que dit Krishna, vous devez scruter la littérature védique faisant autorité. C'est ce que vous ferez si vous êtes sérieux.

John Lennon: Et tous les autres qui ont traduit la *Gita* ? Comment savoir si leur version ne correspond pas aux paroles de Krishna ?

Prabhupada: Vous devez étudier le texte sanskrit original.

John Lennon: Étudier le sanskrit ?

George Harrison: Mais certains diront que livres, rites, dogmes et temples ne sont que détails secondaires, de toute façon. Ils ne sont pas de première importance. Il n'est pas nécessaire de lire des livres pour acquérir la perception.

Prabhupada: Pourquoi alors écrit-on tant de livres ? [*Rires*]

George Harrison: La *Gita* dit la même chose.

Prabhupada: Non.

George Harrison: Mais après une longue méditation durant notre séjour à Hrishikesh, las de méditer, un homme décida de lire la *Gita*. Il l'ouvrit donc et tomba sur un passage qui disait : « Ne lisez pas, méditez. »

Prabhupada: Dans quel passage de la *Gita* Krishna dit-Il une chose pareille ?

George Harrison: La *Gita* le dit.

QUE DIT KRISHNA ?

Prabhupada: Non, Krishna dit plutôt :

> *rsibhir bahudhâ gitam*
> *chandobhir vividhaih prthak*
> *brahma-sûtra-padais caiva*
> *hetumadbhir viniscitaih*

« Ce savoir du champ d'action et de son connaissant, divers sages l'ont exposé en divers Écrits védiques – notamment le *Vedanta-sutra* – où causes et effets sont présentés avec force raison. » [*Bhagavad-Gita* 13:5]

Il explique ici que la science de la Vérité Absolue est clairement développée dans le *Vedanta-sutra*, aussi appelé *Brahma-sutra*. Or, le *Vedanta-sutra* est un livre. Dans un autre passage de la *Gita*, Krishna dit encore :

« Celui, en revanche, qui rejette les préceptes des Écritures pour agir selon son caprice, celui-là n'atteint ni la perfection, ni le bonheur, ni le but suprême. »

[*Bhagavad-Gita* 16:23]

Voilà ce que dit la *Gita*. Comment pouvez-vous dire que Krishna ne recommande pas la lecture de livres ?

Yoko Ono: Vous dites que rien ne surpasse en puissance le *mantra* Hare Krishna. Si c'est vrai, pourquoi se donner la peine de dire quoi que ce soit d'autre ? Est-ce nécessaire ? Et pourquoi nous encouragez-vous à écrire d'autres chansons que ce *mantra* ?

Prabhupada: Le chant de ce *mantra* est le procédé recommandé pour purifier notre cœur. Quiconque le pratique régulièrement n'est pas tenu de faire quoi que ce soit d'autre. Il est déjà sur la bonne voie. Il n'a pas besoin de lire aucun livre.

Yoko Ono: Je suis d'accord. Pourquoi alors dites-vous qu'il n'y a aucun mal à écrire des chansons, à parler et tout le reste ? N'est-ce pas une perte de temps ?

Prabhupada: Non. Sri Caitanya Mahaprabhu, à titre d'exemple, passait la plus grande partie de Son temps à chanter le mantra. Il était alors un *sannyâsî*, puisqu'Il avait adopté l'ordre du renoncement. Plusieurs grands *sannyâsîs* Le critiquaient ainsi: « Bien que Tu sois un renonçant, Tu ne lis pas le *Vedanta-sutra*. Tu ne fais que chanter et danser. » Ainsi Lui reprochaient-ils de chanter sans cesse le mantra Hare Krishna. Mais lorsqu'Il rencontrait de tels érudits, Caitanya ne restait pas muet. Au contraire, Il démontrait l'importance de ce chant à l'aide d'arguments concluants puisés dans les Écritures védiques.

HARE KRISHNA HARE KRISHNA KRISHNA KRISHNA HARE HARE
HARE RAMA HARE RAMA RAMA RAMA HARE HARE

L'HYMNE
DE LA LIBÉRATION

Le chant du mantra Hare Krishna suffit pour obtenir la libération; cela ne fait aucun doute. Mais si quelqu'un désire comprendre ce mantra à travers l'étude, la philosophie ou le *Vedanta,* ce n'est pas la connaissance qui fait défaut. Nous avons publié de nombreux livres. Mais ce n'est pas que le mantra s'avère insuffisant en soi et qu'en conséquence, nous recommandons la lecture. Lorsqu'Il chantait, Caitanya Mahaprabhu dut parfois affronter des érudits antagonistes tels Prakâshânanda Sarasvatî et Sârvabhauma Bhattâchârya. Il était toujours prêt à débattre avec eux à l'aide d'arguments fondés sur le *Vedanta.* Il faut donc être ni sot ni muet. Au cours de notre prédication, des gens de toutes sortes de milieux nous aborderont avec leurs questions, auxquelles il nous faudra répondre. Sinon, le mantra suffit. Pas besoin d'éducation, de lecture, etc. pour atteindre la plus haute perfection. Il suffit de chanter Hare Krishna, c'est un fait.

Disciple: Vous disiez plus tôt aujourd'hui que nous pouvions aussi pratiquer la conscience de Krishna tout en travaillant, en enfonçant des clous.

Prabhupada: Oui.

Disciple: Donc, chanter le mantra tout en exécutant notre service de dévotion et accomplir nos devoirs en méditant sur Krishna fait également partie du procédé ?

Prabhupada: En effet. Le principe consiste à toujours porter nos pensées vers Krishna: *manah krsne nivesayet.* Voilà en quoi consiste le procédé. Vous pouvez y parvenir par la philosophie, la logique ou le chant du mantra, peu importe. C'est ce que recommande la *Gita* [6:47] :

Les Beatles à l'extérieur du « temple », où John Lennon et George Harrison ont rencontré Srila Prabhupada pour la première fois.

« Et de tous les yogis, celui qui, avec une foi totale, de-meure toujours en Moi et M'adore en Me servant avec amour – celui-là est le plus grand et M'est le plus intime-ment lié. »

Vous avez peut-être déjà lu ce passage. Je crois que Maharishi a traduit cette partie de la *Bhagavad-Gita*. L'avez-vous lu ?

George Harrison: Je n'ai pas lu tout son livre.

Prabhupada: C'est le dernier verset du sixième chapitre. Il précise que de tous les yogis, celui qui médite sur Krishna est le plus grand.

John Lennon: Qui est l'auteur de l'édition de poche dont nous avons tous une copie?

Disciple: Srila Prabhupada.

John Lennon: J'en ai un exemplaire au bureau. Il existe une autre traduction de la *Gita* par un espagnol.

Disciple: Je crois qu'un point qu'expliquait Prabhupâda n'a pas été éclairci : comment savoir quelle traduction de la *Gita* est la plus authentique ? Sa réponse était : Krishna est l'autorité en la matière. Il faut donc la recevoir d'une des quatre successions discipliques qui procèdent de Krishna. D'entre ces quatre, il n'en existe désormais plus qu'une ou deux.

Yoko Ono: Qu'entendez-vous par succession disciplique ? Est-ce héréditaire ?

Disciple: Une lignée ou succession de maître à disciple. Prabhupada reçut ce message de son maître spirituel...

Prabhupada: C'est très facile à comprendre. Prenons un exemple : vous envoyez un mandat-poste à un ami. Par

Photo : Jerry Kozinski

En haut : George Harrison pratique la méditation du *Mantra* en chantant *Hare Krishna* avec le japa.
En bas : George Harrison rejoint les dévots de Krishna au Temple de Londres pour le *kirtan* (méditation en groupe).

quelle voie le recevra-t-il ? Seulement à travers le département des postes. Quand le facteur viendra le lui livrer, votre ami est sûr de toucher l'argent. Nous accordons donc de l'importance au facteur parce qu'il représente le ministère des Postes. Dans un même ordre d'idée, Krishna est l'autorité suprême. Son représentant devient ainsi lui-même une autorité. Et qui représente Krishna ? Son dévot. Celui-ci est donc une autorité, du moins en ce qui concerne la *Bhagavad-Gita*. Il faut donc recevoir celle-ci d'un dévot de Krishna. Comment peut-on prêcher le message de la *Gita* si l'on ignore tout de Krishna ? C'est une question de simple bon sens.

John Lennon: Qui décide qui appartient à la lignée descendante ? C'est comme la royauté...

Yoko Ono: C'est exactement ce que je disais.

Prabhupada: Mais en fait, celui qui ne parle jamais de Krishna ne peut être une autorité. Si un facteur ne connaît rien du ministère des Postes, quelle sorte de facteur est-ce?

Yoko Ono: Mais il parle de *son* ministère des Postes.

Prabhupada: Vous ne pouvez pas créer votre ministère des Postes. Il n'en existe qu'un : celui du gouvernement.

Yoko Ono: Oui, bien sûr. Je suis sûre qu'il n'y a qu'un seul ministère des Postes.

Prabhupada: Vous ne pouvez pas créer votre ministère des Postes. Si un facteur dit: « J'appartiens à un autre ministère des Postes », vous savez aussitôt qu'il s'agit d'un imposteur.

Yoko Ono: Non, lui aussi dit que son ministère des Postes est le seul qui soit autorisé.

Disciple: Vous y êtes allés, mais il n'a pas su vous satisfaire; voilà pourquoi vous êtes ici maintenant. Vous devez donc expérimenter.

De gauche à droite : Srila Prabhupada, Pattie Boyd, George Harrison et Dhananjaya en Angleterre.

John Lennon: C'est ce que nous faisons. Nous faisons la tournée. En fait, Yoko n'a jamais rencontré Maharishi. Nous demandons conseil sur la façon de déterminer la vérité. Je connais des gens qui sont en quête de gurus et de maîtres depuis des années. Et cela leur réussit. Vous savez, nous ne pouvons juger qu'au niveau matériel en regardant vos disciples et ceux d'autres maîtres, puis en nous regardant nous-mêmes. Disons, sur trente disciples, sept semblent assez spirituels, dix semblent se débrouiller et les autres paraissent en difficulté. Nous devons continuer nos recherches jusqu'à ce que nous ayons trouvé ce qu'il y a de mieux.

Prabhupada: Essayez de comprendre le principe de l'autorité. Vous dites vouloir savoir comment déterminer qui fait autorité. La réponse: Krishna incarne la véritable autorité; cela ne fait aucun doute. Sinon, pourquoi commente-t-on le livre de Krishna [la *Bhagavad-Gita*] ?... Cela prouve que Krishna est vraiment l'autorité en la matière. Même Shankarâchârya a écrit un commentaire sur la *Bhagavad-Gita*. Connaissez-vous ce commentaire ? Il y reconnaît que Krishna est Dieu, la Personne Suprême : « *krishnas tu Bhagavan svayam.* » Il admet cette vérité. Vous disiez que Maharishi accepte Shankarâchârya, mais celui-ci reconnaît en Krishna le Seigneur Souverain.

George Harrison: Oui, mais c'est comme la Bible...

Prabhupada: Ne faites pas intervenir la Bible. C'est de Krishna dont il est ici question. [*Rires*] Essayez de comprendre que Krishna est l'autorité; tous le reconnaissent. Vous dites que Maharishi appartient à la succession disciplique de Shankarâ-chârya. Or, celui-ci considère Krishna non seulement comme une autorité, mais comme le Seigneur Suprême. Il le déclare en effet dans son commentaire sur la *Gita* : « Que tous offrent leur hommage à Krishna, le Dieu Suprême. » Est une vraie autorité celui qui reconnaît en Krishna l'Être Suprême.

Tous les êtres en ce monde doivent passer par le cycle répété des morts et des renaissances. Mais celui qui ravive sa relation avec la Personne Suprême échappe au processus de la réincarnation et parvient à l'immortalité.

Yoko Ono: Qui a dit ça ?

Prabhupada: Tous les grands maîtres spirituels: Shankaracharya, Ramanuja... Tous les maîtres appartenant aux successions discipliques authentiques. Shankarâ-chârya admet: *krishnas tu Bhagavan svayam* – Krishna est Dieu. Telles furent d'ailleurs ses dernières instructions à ses disciples :

> *bhaja govindam bhaja govindam*
> *bhaja govindam mudha-mate*
> *samprapte sannihite kale na hi*
> *na hi raksati dukrñ-karane*

« Intellectuels irréfléchis, adorez donc Govinda [Krishna]. Votre maîtrise de la grammaire et vos jongleries verbales ne vous sauveront point à l'instant de la mort. »

Shankarâchârya leur dit donc : « À quoi jouez-vous ? Cela ne saurait vous sauver. Adorez simplement Krishna – *bhaja govindam mûdha-mate*. Devenez Ses dévots. Quand la mort viendra vous chercher, vos jongleries verbales et grammaticales ne pourront pas vous sauver. Mais Krishna Le peut. *Bhaja govindam.* » Voilà ce que nous enseigne Shankaracarya.

Yoko Ono: Mais chaque école en dit autant...

Prabhupada: Il ne saurait être question d'autres écoles. Lorsque Krishna est au centre, il ne peut être question de différentes écoles, mais seulement de l'école de Krishna.

George Harrison chante Hare Krishna avec des dévots de Londres sur le toit du studio des Beatles : Apple Corps. Ltée, Londres.

Krishna, Dieu dans Sa forme originelle, qu'Il manifeste sur notre planète il y a quelque 5 000 ans.

KRISHNA
SIGNIFIE « DIEU »

John Lennon: Le nom *Krishna* signifie-t-il « Dieu » ?

Prabhupada: Oui. *Krishna* signifie « Dieu » et *Dieu* signifie «Krishna».

John Lennon: La Bible et tous les livres sacrés parlent d'un seul Dieu. Il s'agit donc toujours du même Être Suprême. Pourquoi alors ne retrouve-t-on pas les mots Hare Krishna – ou quelque chose du genre – dans la Bible ? C'est la seule autre Écriture que je connaisse de par mon éducation.

Disciple: La Bible dit : « Louez le Seigneur avec chaque respiration; glorifiez-Le par le tambour et la flûte.» (*Psaumes*)

John Lennon: Serait-il efficace de chanter : « Jésus, Jésus, Jésus » ?

Prabhupada: Jésus dit être le Fils de Dieu; il n'est pas Dieu, mais bien le Fils de Dieu. Dans ce sens, il n'existe aucune différence entre le christianisme et la conscience de Krishna. Il n'y a pas d'antagonisme entre Dieu et le Fils de Dieu. Jésus dit d'aimer Dieu, et Krishna – Dieu – dit : «Aimez-Moi. » Si vous dites : « Aimez-moi » et votre femme : « Aimez mon mari », C'est du pareil au même.

Yoko Ono: Mais concernant la connaissance – cela m'inquiète un peu. S'il faut apprendre le sanskrit, si c'est la seule façon d'être éclairé, qu'adviendra-t-il de ceux ou celles qui ne sont pas aptes à maîtriser d'autres langues ?

John Lennon: Il existe des traductions.

Prabhupada: En effet.

John Lennon: Il faut prendre le risque de lire une traduction de la *Gita*.

Krishna montra d'abord à Arjuna Sa forme à quatre bras, puis celle à deux bras.

Prabhupada: Essayez de bien comprendre un point : si Krishna n'est pas l'autorité suprême, pourquoi tant d'auteurs traduisent-ils Son livre ?

George Harrison: Je ne dis pas qu'Il n'est pas le Suprême. Personnellement, je crois qu'Il l'est.

Prabhupada: Même Maharishi considère indirectement Krishna comme l'autorité suprême, puisqu'il appartient à la lignée de Shankaracarya qui – nous l'avons vu – voit en Krishna l'Être Souverain.

George Harrison: Le malentendu concerne la traduction de la *Gita* du sanskrit vers l'anglais. Je disais qu'il en existe plusieurs versions. Je crois que nous avions l'impression que vous disiez que votre version, votre traduction, était autorisée et que les autres ne l'étaient pas. Mais l'identité de Krishna ne nous posait aucun problème.

Prabhupada: Si vous croyez que Krishna est le Seigneur Suprême, vous devez ensuite voir qui se voue directement à Lui. Une personne chantera le nom de Krishna vingt-quatre heures par jour alors qu'une deuxième, qui ne parle jamais de Lui, prétendra en être le représentant. Comment peut-elle prétendre être Son dévot ? Comment peut-elle dire qu'elle Le représente ? Si Krishna est bel et bien l'autorité, vous ne devez alors accepter comme Ses représentants accrédités que ces personnes qui ont un attachement direct pour Lui.

HARE KRISHNA HARE KRISHNA KRISHNA KRISHNA HARE HARE
HARE RAMA HARE RAMA RAMA RAMA HARE HARE

ANNEXES

HARE KRISHNA HARE KRISHNA KRISHNA KRISHNA HARE HARE
HARE RAMA HARE RAMA RAMA RAMA HARE HARE

ANNEXE 1

POSTFACE

Durant l'absence prolongée de John Lennon de la scène publique (1975-1980), le désir de devenir un homme meilleur, sa compassion pour l'humanité souffrante et l'espoir d'un monde meilleur – un monde de paix – continuèrent de l'habiter. Le 27 mai 1979, les journaux de New York, Londres et Tokyo publièrent la «lettre d'amour» suivante, financée par John et Yoko :

> « *De plus en plus, nous prions et formulons des vœux ... Quand quelqu'un se fâche contre nous, nous dessinons une aura mentale autour de sa tête. Soudain, à nos yeux, cette personne ressemble à un ange. Ceci nous aide à ressentir une chaleur intérieure et à voir tous ceux qui nous abordent comme des anges déguisés... C'est vrai que nous sommes en manque de miracles... L'avenir de la Terre est entre nos mains à tous... Rappelez-vous, nous écrivons dans le ciel plutôt que sur le papier – voilà notre chanson. Levez les yeux vers le ciel : voilà notre message.*»

En fin de compte, John Lennon n'a adhéré à aucune voie spirituelle, mais a inspiré des millions de personnes à s'enquérir du soi, à développer leur conscience spirituelle et la poursuite de la paix mondiale.

Sa fin tragique a scandalisé et irrité ses millions d'admirateurs. Pourtant, John croyait à la réincarnation comme au karma. Comment a-t-il pu mourir victime d'un acte de violence aussi gratuit ? La réponse réside certes dans les lois – aussi complexes que mystérieuses – du karma, qui opèrent bien au-delà de la perception humaine.

Quoique l'âme ne connaît jamais la mort, toutes les sommités spirituelles ont enseigné au fil des âges qu'à moins de s'affranchir de tout désir et attachement matériel, on ne peut atteindre la libération totale hors du cycle des morts et renaissances répétées. Toute bonne action, et le bon karma qui s'ensuit, nous accompagnera cependant vers notre vie future; tout progrès spirituel réalisé en cette vie représentera un gain éternel.

HARE KRISHNA HARE KRISHNA KRISHNA KRISHNA HARE HARE
HARE RAMA HARE RAMA RAMA RAMA HARE HARE

ANNEXE 2

UN MOT DE
GEORGE HARRISON

Consciemment ou inconsciemment, tous cherchent Krishna. Krishna est Dieu, la Source de tout ce qui existe, la Cause de tout ce qui est, fut, ou sera. Étant infini, Dieu possède plusieurs Noms. Allah, Bouddha, Jéhovah, Râma, Krishna sont tous ce même Dieu unique. Dieu n'est pas un concept abstrait. Suprême, éternel, tout de félicité et de connaissance, Il est simultanément personnel et impersonnel. De même que la goutte d'eau jouit des mêmes propriétés que l'océan, notre conscience possède les attributs de la conscience divine. Mais dû à notre attachement et à notre identification à l'énergie matérielle (le corps physique, les plaisirs des sens, les biens matériels, le faux ego...), notre véritable conscience transcendantale s'est souillée et, tel un miroir sale, ne peut renvoyer une image pure.

Au fil de nombreuses vies, notre contact avec l'éphémère s'est accentué. Nous identifions à tort le corps temporaire – fait de chair et d'os – à notre vrai moi, acceptant comme finale cette condition provisoire. À travers les âges, de grands saints sont demeurés comme preuves vivantes que cet état permanent de conscience divine peut être ranimé dans toutes les âmes, chaque âme étant potentiellement divine.

Krishna dit dans la *Bhagavad-Gita* (6:28) : « Établi dans la réalisation spirituelle, purifié de toute souillure matérielle, le yogi jouit du bonheur suprême que procure l'union constante avec l'Absolu. » Le yoga (méthode scientifique de réalisation de Dieu et du Soi) est un procédé qui nous permet de purifier notre conscience, mettre fin à toute souillure et d'accéder à la perfection, à l'extase et à la connaissance totales.

Si Dieu existe, je veux Le voir. À quoi bon croire en ce dont on n'a pas la preuve? Or, la Conscience de Krishna et la méditation confèrent effectivement la perception de Dieu. Vous pouvez vraiment voir Dieu et L'entendre, ou encore jouer avec Lui. Cela peut paraître absurde, mais Il est vraiment là avec vous. Il existe plusieurs formes de yoga: le *raja-yoga*, le *jnana-yoga*, l'*hatha-yoga*, le *kriya-yoga*, le *karma-yoga* et le *bhakti-yoga*, que préconisent les maîtres de chaque méthode.

Swami Bhaktivedanta est, comme l'indique d'ailleurs son titre, un bhakti-yogi qui suit la voie de la dévotion. En servant Dieu avec chaque pensée, parole et action, et en chantant Ses Saints Noms, le dévot développe sans délai la conscience divine. Le fait de chanter **Hare Krishna, Hare Krishna Krishna Krishna, Hare Hare / Hare Râma, Hare Râma Râma Râma, Hare Hare,** nous conduit inévitablement à la conscience de Krishna. (C'est à l'usage que l'on peut juger de la qualité d'une chose!) Je vous encourage à rencontrer votre Dieu grâce au procédé libérateur du *yoga* (union) et à contribuer ainsi à la paix (Give Peace A Chance).

ANNEXE 3

JOHN LENNON –
UNE VIE ANTÉRIEURE

Los Angeles, le 24 avril 1970

Cher Shyamsundar,

Accepte mes bénédictions. J'ai bien reçu ta lettre du 20 avril 1970, dont j'ai lu attentivement le contenu : tu me demandes de te révéler le rêve que j'ai fait concernant John Lennon.

J'ai vu en songe John qui m'indiquait une maison de Calcutta, un véritable palais appartenant jadis à un homme très riche et célèbre musicien par surcroît. Je crois donc que John Lennon fut autrefois ce riche musicien de l'Inde, qui a maintenant pris naissance en Angleterre.

Il a hérité de son vécu musical; de plus, s'étant montré très libéral et charitable durant sa vie antérieure, il est aujourd'hui devenu riche comme Crésus. Maintenant, si en cette vie, il utilise ses talents et richesses pour apporter au monde la conscience de Krishna, il atteindra la plus haute perfection de l'existence.

Espérant que tu es en bonne santé,

Ton bienfaiteur éternel,

A. C. Bhaktivedanta Swami

Sa Divine Grâce A. C. Bhaktivedanta Swami Srila Prabhupada
Fondateur-Acarya de l'Association internationale pour la
Conscience de Krishna et le plus grand représentant de la
Conscience de Krishna dans le monde.

ANNEXE 4

BIOGRAPHIE SUCCINCTE DE
SA DIVINE GRÂCE A. C. BHAKTIVEDANTA SWAMI
SRILA PRABHUPADA

é le 1er septembre 1896, Sa Divine Grâce A. C. Bhaktivedanta Swami Prabhupada a reçu de ses parents le nom de Abhay Charan. Ce nom veut dire : « Celui qui, ayant pris refuge aux pieds pareils-au-lotus de Krishna, ignore la crainte. »

Son père, Gour Mohan De, appartenait à l'aristocratie marchande des *suvarna-vaniks*, liée à la riche famille Mullik. Sa mère s'appelait Rajani. Gour Mohan était un authentique *vaisnava*. À l'origine, les Mullik étaient membres de la famille De, dont le lignage remonte à Gautama.

Il vit le jour au 151 rue Harrison dans le quartier nord de Calcutta, en Inde. Juste en face se trouvait le temple de Radha-Givinda où les Mullik adoraient les *murtis* de Radha et Krishna depuis 150 ans.

En 1920, Abhay Charan termina ses études à l'Université de Calcutta. Mais il refusa son diplôme universitaire. Il participa alors activement au mouvement non violent de l'émancipation politique de l'Inde, dirigé à l'époque par Mohandas K. Ghandi.

En 1922, Il assista pour la première fois à une conférence donnée par Srila Bhaktisiddhânta Sarasvati Thâkura, l'un des plus grands maîtres et érudits en matière de connaissance védique.

Abhay Charan fut introduit alors auprès de Srila Bhakti-siddhânta qui lui demande de faire connaître la philosophie de la *Bhagavad-Gîtâ* à l'Occident: « Vous êtes instruit. Pourquoi n'allez-vous pas prêcher le message de Sri Caitanya dans le monde entier ? »

Abhay répond : « Mais qui écoute l'enseignement de Sri Caitanya ? Notre pays est sous la domination anglaise. L'Inde doit d'abord obtenir l'indépendance. Comment répandre la culture indienne tant que nous ne sommes pas indépendants ? »

Srila Bhaktisiddhânta souligna que tous les gouvernements sont temporaires, tandis que la Conscience de Krishna constitue la réalité éternelle, et l'âme spirituelle, l'identité véritable de l'être. Il affirma qu'aucun système politique de création humaine ne peut aider l'humanité. Pour apporter une aide véritable à l'humanité, disait-il, il faut dépasser les préoccupations matérielles et aider les hommes à préparer leur existence future, à rétablir leur relation éternelle avec Dieu.

Jamais auparavant Abhay Charan n'avait entendu une telle présentation de la philosophie *vaisnava*.

Abhay Charan n'oublia jamais cet entretien. Ce fut onze ans plus tard qu'il accepta officiellement Srila Bhaktisiddhânta comme maître spirituel.

Une des rencontres les plus importantes entre Abhay Charan et son maître spirituel eut lieu à Vrndavana en 1932. Un jour, tandis qu'ils marchaient ensemble au bord du lac de Radha-kunda, en compagnie de quelques disciples, Srila Bhaktisiddhanta lui confia qu'il y avait des dissensions parmi les disciples à Calcutta et que cela l'affligeait beaucoup. Abhay écoutait et ne savait que répondre. Bhaktisiddhânta Sarasvati ajoute : « Autant retirer le marbre des murs, le vendre et imprimer des livres. C'est ce qu'il y aurait de mieux à faire. »

C'est alors que Srila Bhaktisiddhanta Saraswati dit à Abhay: « *Je voudrais imprimer des livres. Si jamais un jour tu as de l'argent, imprime des livres.* » Debout sur les rives de Radha-kunda, scrutant le visage de son maître spirituel, Abhay s'imprégna de ces paroles : « *Si un jour tu as de l'argent, imprime des livres.* »

En décembre 1936, quelques jours avant de quitter ce monde, Srila Bhaktisiddhânta Saraswati formula à nouveau son désir de voir Abhay Charan transmettre le message de la *Bhagavad-Gîtâ* aux contrées occidentales.

« Je te fais entièrement confiance pour enseigner notre philosophie en anglais à tous ceux qui ne connaissent ni le bengali ni l'hindi... Cela te sera très bénéfique et le sera aussi pour ton auditoire. J'ai bon espoir de te voir devenir un très bon prédicateur de langue anglaise. »

Alors qu'Abhay Charan résidait encore en Inde, son maître spirituel lui apparaissait souvent en songe, renouvelant toujours la même demande.

Notons que Srila Bhaktisiddhânta Saraswati était le fils de Bhaktivinoda Thakura, un autre grand saint *vaisnava* appartenant à la lignée spirituelle issue de Sri Caitanya. Bhaktivinoda Thakura, un magistrat de grande renommée, parvint à rétablir la respectabilité du vaisnavisme par ses nombreux écrits et grâce à sa propre position sociale. Il répandit l'idée que les enseignements de Sri Caitanya constituent la plus haute forme de théisme et qu'ils ne concernent pas qu'un mouvement, une religion ou une nation particulière, mais s'adressent à tout le monde. Srila Bhaktisiddhânta Saraswati transmet l'essence de l'enseignement de Sri Caitanya : Krishna est Dieu, la Personne Suprême. Le chant de son Saint Nom doit être recommandé plus que toute autre pratique religieuse. Au cours des âges précédents, d'autres méthodes ont donné à l'homme la possibilité d'entrer en contact avec Dieu. Dans l'âge de Kali seul le chant du *maha mantra* Hare Krishna permet d'y parvenir.

Vers la fin des années 30, la Deuxième Guerre mondiale éclata, les Britanniques instaurent le blocus et coulent de nombreux cargos indiens transportant des vivres, et détruisent la majorité des récoltes de riz en Inde. L'Inde est alors en proie à une terrible crise. Au fil des mois, les trottoirs et les terrains vagues sont envahis par une foule croissante d'indigents qui cuisinent leur maigre pitance sur les fourneaux improvisés et passent la nuit à la belle étoile ou à l'abri des arbres. Des enfants affamés fouillent avidement dans les poubelles, se battant avec les chiens pour partager les ordures. Cette lutte pour survivre devient un spectacle courant dans les rues de Calcutta.

Abhay comprenait cette misère grâce à l'enseignement qu'il avait reçu de Srila Bhaktisiddhânta Saraswati. Si les hommes souffrent c'est uniquement parce que, guidés par leur cupidité, ils agissent mal. « La conscience de Krishna seule fait défaut. » La justesse de cette vision spirituelle s'avérait maintenant d'une brûlante réalité, Abhay ressentait plus que jamais le besoin d'appliquer ce qu'il savait être la panacée aux maux de l'humanité : il avait un message à transmettre aux citoyens las de la guerre.

Dans sa chambre à Calcutta, en 1944, Abhay décida alors de lancer le périodique, *Back to Godhead* - Retour à Dieu – « revue fondée et dirigée par Mr. Abhay Charan De sous la haute inspiration de Sa Divine Grâce Sri Srimad Bhaktisiddhânta Saraswati Goswami Prabhupada ».

En 1947, l'Inde obtint l'indépendance si longtemps convoitée. Mais Abhay ne croyait guère aux promesses de paix. À moins de prendre conscience de Dieu, quels changements les dirigeants pouvaient-ils espérer réaliser. En d'autres termes, tant que les hommes se laisseront guider par leurs penchants égoïstes et leur soif de plaisirs matériels, ils continueront inéluctablement à se battre. Il ne pourra être question d'unité véritable que lorsque les hommes développeront leur compréhension spirituelle et serviront ensemble Dieu, l'Être Suprême.

À 56 ans, Abhay rompit définitivement le lien de responsabilité familiale. Son laboratoire de médecine nouvellement installé à Allahabad avait été dévalisé réduisant ainsi presque à néant sa réussite matérielle pendant qu'il tentait d'établir un centre spirituel permanent à Jhansi.

Les années 1950 s'avèrent fort difficiles pour Abhay. Après avoir passé quelque temps dans un *asrama* à Delhi en compagnie de ses frères spirituels, Abhay se retrouva de nouveau seul et sans ressource, tel un mendiant, hébergé d'une semaine à l'autre dans des temples... Ce fut un moment les plus difficiles qu'il ait jamais connu.

Malgré ces conditions très pénibles, Abhay continuait à écrire et à parcourir la ville pour vendre son *Back to Godhead* prêchant ainsi le message de la *Bhagavad-Gita*. Abhay rédiga un article intitulé : « *Pas le temps : la maladie chronique pour l'homme d'aujourd'hui.* »

Malgré son extrême pauvreté et l'urgence de son message, ses écrits ne furent jamais acerbes, agressifs ou fanatiques. Ils fussent exposés de façon logique et pertinente, s'appuyant sur des textes philosophiques aussi sacrés qu'authentiques.

Abhay se demandait parfois pourquoi il avait quitté son foyer et ses affaires, et pourquoi tout était si difficile depuis qu'il s'était abandonné à Krishna. Bien des années plus tard, ayant implanté avec succès la Conscience de Krishna dans de nombreux pays, il dira: « Sur le moment, je n'arrivais pas à comprendre le pourquoi des choses. Maintenant, je comprends que ces épreuves étaient un bien; elles étaient la miséricorde de Krishna. »

Tout en poursuivant ses efforts pour son *Back to God-head* à Delhi, il se retira à Vrndâvana, lieu le plus sacré de l'univers grâce à l'avènement de Sri Krishna il y a 5 000 ans, pour y traduire en langue anglaise plusieurs textes sanskrits. Il loua une chambre au bord de la Yamuna où une atmosphère unique règne en ce lieu sacré. Lorsqu'il entendait les cloches tinter dans les temples, au crépuscule, Abhay laissait parfois son travail pour aller se mêler aux habitants et aux pèlerins. Il entendait partout chanter Hare Krishna, et de nombreux passants le saluaient du traditionnel « Jaya Râdhe ! » ou « Hare Krishna ! »

En 1959, encouragé par l'un de ses frères spirituels, Abhay Charan décida de prendre le *sannyâsa* (l'ordre du renoncement); c'est alors que lui fut attribué le nom de A. C. Bhaktivedanta Swami. Pour un *vaisnava*, faire voeu de *sannyasa* signifie consacrer tous ses actes, ses pensées et ses paroles au service de Dieu, la Personne Suprême, et délaisser toute autre forme d'activité.

En 1965, Prabhupada s'embarqua sur un cargo à destination des États-Unis avec en poche une somme de 40 roupies.

À New York, il se rendait quotidiennement dans un parc et chantait le *mantra* Hare Krishna où de nombreux jeunes furent attirés par sa personnalité. Ils chantaient avec lui les *mantras* védiques et assistaient régulièrement à ses cours sur le *bhakti-yoga*.

Quelque temps plus tard, Bhaktivedanta Swami ouvrit son premier temple de Krishna dans une petite boutique désaffectée à New York.

Bientôt, ses disciples établirent des temples aux quatre coins du monde : Los Angeles, San Francisco, Londres, Paris et Montréal. Actuellement le Mouvement pour la Conscience de Krishna, avec ses milliers de *bhaktas*, est présent dans chaque grande ville de la planète. Sa Divine Grâce A. C. Bhaktivedanta Swami Prabhupada est devenu l'auteur de philosophie védique le plus lu et le plus apprécié du monde.

Le Bhaktivedanta Book Trust a publié nombres d'ouvrages essentiels, tels que la *Bhagavad-Gitâ*, le *Srimad Bhagavatam*, l'*Enseignement de Sri Caitanya Mahaprabhu*, le *Livre de Krishna*, le *Sri Caitanya-caritamrta*, etc. Par souci de garder intact le sens premier des textes anciens, A. C. Bhaktivedanta Swami Prabhupada donne, pour chacun de ces ouvrages, le sanskrit original, la traduction mot à mot puis la traduction littéraire. Il précise ensuite la teneur et la portée, à la lumière d'enseignements millénaires de maîtres appartenant à une filiation spirituelle remontant à Krishna Lui-même (*guru-paramparâ*).

Aujourd'hui, ses livres servent d'ouvrages de référence aux étudiants en philosophies orientales de la plupart des grandes universités du monde.

Infatigable, Sa Divine Grâce A. C. Bhaktivedanta Swami Prabhupada voyageait d'un bout à l'autre du monde. Il s'adressait chaque jour à un vaste auditoire et avec constance, instruisait ses disciples, transmettant son héritage spirituel, afin qu'à leur tour, ils puissent offrir à tout le monde cette sagesse védique dans sa pureté originelle.

ANNEXE 5

KRISHNA :
LE NOM DE DIEU PAR EXCELLENCE

Krishna est un Nom de Dieu qui signifie « l'Infiniment Fascinant ». Le Seigneur, en effet, fascine tous les êtres et telle est précisément la définition du mot Dieu. Celui-ci possède une variété infinie de Noms. Certains, tels Jéhovah, Adonaï, Yahvé, Bouddha, Allah, nous sont familiers; d'autres, tel celui de Krishna, peuvent l'être moins. Mais en réalité, si un nom doit être attribué à Dieu, c'est bien celui de Krishna.

En fait, Dieu n'a aucun nom; plutôt, personne ne sait combien Il en a. Parce que Dieu est illimité, Ses Noms doivent l'être également. Il portera donc des Noms variés selon les divers aspects de Sa personnalité absolue. Procédant de cette même qualité, les Noms de Dieu ont le pouvoir de purifier quiconque les chante. Il n'existe aucune différence entre chanter le Nom du Seigneur et vivre en Sa compagnie personnelle. La raison en est que Dieu est absolu, au-delà de toute dualité. S'il existait la moindre différence entre Dieu et Son Nom, comme celle qui sépare tout objet matériel du nom qui le désigne, il en résulterait une certaine dualité. On retrouverait alors deux entités bien distinctes: Dieu et Son Nom. Le Seigneur doit donc être entièrement présent dans Son Nom; les deux ne peuvent, qu'être intrinsèquement identiques. Ainsi Dieu transcende-t-Il toute dualité puisque Son Nom et Sa Personne ne font qu'Un. Néanmoins, certains Noms Lui conviennent mieux en Sa qualité de Personne Divine et Suprême.

A titre d'exemple, le mot Dieu, d'origine germanique, signifie « l'Infiniment Bon ». [1] Nous devons admettre ici qu'un tel nom décrit l'Être Suprême d'une façon bien vague; il ne saurait donc suffire. Or, d'autres Noms Le dépeignent mieux.

La Bible emploie couramment le terme hébreu Elohim pour désigner Dieu. Si on le décompose davantage, on obtient la syllabe El qui signifie « puissant, dominant, suprême ».[2] Là encore, on est loin d'une véritable description du Suprême. Les autres Noms de Dieu qu'on retrouve dans la Bible, El Shaddaï,[3] Adonaï, [4] Jéhovah,[5] traduisent également la majesté, la souveraineté de Dieu. Et en fait, il est évident que la Bible nous révèle surtout Son aspect puissant et redoutable. Mais Dieu est beaucoup plus. D'ailleurs, Jésus-Christ nous montre dans le Nouveau Testament un autre visage du Divin, plus personnel et plus affectueux. En vérité, Jésus Lui attribuait le Nom araméen de Awoon, ou « notre Père universel ». Il insistait ainsi sur la paternité de Dieu et le fait concomitant que nous sommes tous Ses enfants.

L'Islam désigne Dieu par le terme arabe Allah, que plusieurs érudits traduisent par « Celui qui donne la vie », [6] ce qui indique que toute vie procède de Lui et que nous sommes tous frères sous Son règne. Ainsi, le Nom Allah ressemble beaucoup à celui de Awoon dont se sert Jésus.

---

[1] The Ancient Aramaic Prayer of Jesus, Rocco A. Errico, Science of Mind pub., 1978.

[2-4] Names of God, Nathan Stone, Moody Press, 1944

[5] The Book of Jewish Knowledge, Nathaniel Ausubel, Crown Pub., 1964.

[6] Why Allah should not be called « God », Isa Mohammad, Ansaru Allah pub., 1979.

On découvre en Inde des millions de Noms pour Dieu. En outre, les Écritures védiques ancestrales, rédigées en sanskrit, offrent les termes qui Le décrivent le mieux. A vrai dire, les Textes védiques et tout le lexique sanskrit furent conçus à cette fin: offrir à l'humanité entière une connaissance précise et détaillée de Dieu, la Personne Suprême.

Le nom sanskrit de Bouddha désigne « l'Être parfaitement éclairé ». Celui de Govinda indique que Dieu représente une source de plaisir pour les êtres saints, les vaches et les sens de tous les êtres vivants. De même, le Nom de Adhokshaja signifie que le Seigneur est au-delà de la portée des sens et du savoir expérimental. Celui de Rama se traduit par « la Fontaine de tout bonheur ». Ainsi, les Écrits védiques révèlent une myriade de noms attribués au Seigneur, destinés à nous permettre de comprendre davantage Sa nature.

Mais Dieu doit posséder dans leur plénitude toutes les perfections. Certains seront fascinés par Sa bonté ou Sa majesté, telles que nous les révèle l'Ancien Testament. D'autres ressentiront plutôt l'attrait de Son rôle de père, sur lequel Jésus attira l'attention de ses disciples. D'autres encore apprécieront le fait que Dieu est à l'origine de toute vie, ce qu'enseigne l'Islam, et qu'Il est omniscient. Ces aspects de la Personne Divine, toutefois, ne séduiront pas tous les hommes. Or, si Dieu est le réservoir de tous les attributs suprêmes, le nom qui Le désignera ainsi s'avérera certes plus complet que tous les autres.

Celui qu'attire le savoir sera peut-être rebuté par la puissance. Les Noms de Adonaï, El-Shaddaï et Jéhovah qui font allusion à la majesté et la souveraineté du Suprême, ne sauront le satisfaire puisqu'ils ne dévoilent qu'une facette de Sa gloire. Dans un même ordre d'idée, ceux que séduit le pouvoir mais non la connaissance ne pourront être comblés par l'image du Bouddha. Et il en sera nécessairement ainsi pour tous les Noms mentionnés plus haut.

Le Nom Krishna, cependant, indique « l'Infiniment Fascinant ». Un tel titre ne peut que désigner Celui qui possède dans leur plénitude la puissance, la beauté, la richesse, la célébrité, le savoir et le renoncement. Aussi qualifie-t-on Krishna de Bhagavan, ce qui sous-entend qu'Il jouit pleinement de toutes ces excellences. Les Noms divins que nous connaissons déjà ne révèlent donc qu'un fragment de Sa grandeur, alors que celui de Krishna, qui nous semble peut-être plus exotique, montre Dieu dans toute Sa gloire. Voilà donc le Nom de Dieu par excellence.

On peut ici demander : si le Nom Krishna est suprême, pourquoi les prophètes de la Bible ne nous l'ont-ils pas appris? Si la science de Krishna s'avère supérieure, pourquoi Jésus ne la dévoila-t-il pas à ses disciples?

Les Écritures védiques déclarent que l'âme réalisée transmet la connaissance de Dieu selon le temps, l'endroit et les circonstances ainsi que les tendances mentales et dévotionnelles de son auditoire. À titre d'exemple, Jésus dut enseigner: « Tu ne tueras pas ». De toute évidence, son auditoire était enclin au crime; il fut donc obligé de le leur interdire. De même, Mahomet dut proscrire les rapports sexuels entre mère et fils. On retrouve effectivement un tel commandement dans le Coran. Il prêchait donc à des matérialistes endurcis. À vrai dire, aucun principe religieux n'existait en Arabie à l'époque de Mahomet. Plusieurs pères ensevelissaient leurs enfants vivants, prenaient plus d'une épouse et passaient leurs jours complètement ivres. Telle était la culture au sein de laquelle Mahomet dut enseigner le Coran.

Les Écritures védiques cependant furent transmises aux plus grands sages. C'est ce qui explique l'intensité de leur contenu et la profondeur de leur révélation spirituelle. Les Vedas traitent de la spiritualité d'une manière à la fois complexe et scientifique alors que toutes les autres Écritures du monde s'en tiennent surtout à des codes d'éthique et des principes de moralité. Tout Écrit religieux toutefois vise l'élévation graduelle de la société en général.

Bien que la nature humaine soit la même partout, les peuples qui vivent dans des pays et sur des continents différents acquièrent diverses caractéristiques secondaires. Il est impossible de trouver en ce monde deux peuples qui aient exactement la même seconde nature.

Si chez deux frères nés du même sein, nous observons des divergences de personnalité et d'apparence, quoi de plus naturel que de noter une disparité entre les hommes nés en divers endroits du globe.

Dans ces contrées, des phénomènes comme la localisation des emplacements d'eau, les mouvements de masses d'air, les montagnes et les forêts, et la quantité disponible de toutes sortes de nourritures et de vêtements montrent tous un aspect fort varié. En conséquence, certaines différences apparaissent naturellement dans la physionomie, la position sociale, l'activité et la manière de se vêtir et de se nourrir des habitants. Chaque nationalité ayant une disposition d'esprit particulière, les diverses conceptions du Seigneur Suprême sembleront superficiellement opposées, bien que de même essence.

Alors qu'en différents endroits, des peuples s'éveillent de leur condition primitive et graduellement développent culture, science, lois et dévotion envers Dieu, leur adoration diverge également dans le vocabulaire, les costumes, la nature de l'offrande et l'attitude intérieure. Toutefois, si nous considérons toutes ces apparentes disparités d'un point de vue impartial, nous ne rencontrons aucune contradiction ni aucun mal, aussi longtemps que l'objet d'adoration reste le même.

Aussi, Caitanya Mahaprabhu nous exhorte-t-Il avec clarté d'offrir au Seigneur une dévotion sans mélange, placée sous l'égide de la plus pure vertu, sans jamais ridiculiser les codes religieux d'autrui.

Sous l'influence des facteurs mentionnés plus haut, les systèmes religieux mis en application dans le monde se distinguent comme suit :
1) différents maîtres spirituels
2) différents états émotifs liés à l'adoration
3) différents rites prescrits
4) des affections et activités différentes à l'égard de l'objet d'adoration
5) des terminologies et appellations différentes, résultant de la diversité des langues.

À bien y penser, il est évident que toute révélation spirituelle est donnée dans un langage adapté aux habitants d'un endroit spécifique. Nous oublions parfois que Jésus, par exemple, ne s'est jamais servi des mots « Dieu », « Seigneur », et tant d'autres noms que nous utilisons aujourd'hui. Jésus ne parlait pas l'anglais, mais bien l'araméen. Pourtant, certains critiquent les dévots de Krishna parce qu'ils emploient des Noms de Dieu non mentionnés par Jésus ou les prophètes. Mais s'ils peuvent appeler Dieu l'Être Suprême, ce que Jésus, répétons-le, n'a jamais fait, pourquoi nous interdire l'emploi du Nom Krishna?

Suivant la variété d'autorités spirituelles, en certains endroits les hommes honorent les sages de la culture védique, en d'autres lieux ils vénèrent Mahomet et ses prophètes, alors qu'en d'autres régions encore ils s'attachent aux partisans de Jésus.

Pareillement, chaque localité montre un respect particulier pour divers grands philosophes. Chaque communauté se doit certes d'honorer correctement ses maîtres spirituels, mais nul ne devrait essayer de prouver la supériorité de son propre maître, dans le but d'acquérir de nombreux partisans. Encourager un tel antagonisme serait des plus néfastes pour le monde.

Les rites prescrits qui touchent l'adoration varient selon la mentalité et les sentiments dévotionnels de chacun. Dans certains endroits, le spiritualiste s'assied en un lieu sacré, pratique le renoncement et la maîtrise du souffle. Ailleurs, il se prosterne cinq fois par jour dans la direction du tombeau de son maître afin d'offrir hommages et révérences, peu importe la situation où il se trouve. Ailleurs encore, il s'agenouille dans le temple ou au foyer et, mains jointes, admet sa condition d'âme déchue et glorifie ainsi le Seigneur.

Dans chaque type d'adoration, diffèrent également le vêtement, la nourriture, la propreté, etc... En outre, le sentiment et le comportement face à l'objet d'adoration varient selon les religions. Certains dévots, la conscience saturée de dévotion, installent la Forme du Seigneur Suprême (*murti*) dans leur cœur, leurs pensées ou sur un autel, sachant bien que le Seigneur et la *murti* ne font qu'Un. D'autres processus davantage enclins aux arguments et à la logique rejettent l'image externe. L'aspirant doit alors imaginer une conception du Seigneur et l'adorer. Néanmoins, il importe de garder à l'esprit que toutes ces *murtis* constituent d'authentiques représentations du Seigneur ; de les adorer sous la direction d'un pur dévot nous permettra donc d'atteindre le pur amour pour Dieu.

Différents langages donnent à Dieu des Noms variés. Les systèmes religieux portent aussi divers noms et possèdent pour chaque objet du culte une dénomination appropriée. Du fait de ces cinq grandes différences, les nombreuses religions du monde se sont développées de façon très distincte les unes des autres. Il ne faudrait pourtant pas que naissent de ces divergences de mutuels désaccords, car cela entraînerait un véritable désastre.

Si nous nous trouvons, à l'heure de la prière, dans le temple d'un groupe religieux différent du nôtre, nous devrions penser: « Ici mon Seigneur est adoré dans une forme nouvelle et cette scène fait naître en moi un sentiment plus intense pour ma propre forme d'adoration. La Vérité Suprême et Absolue est Une. J'offre mon humble hommage à la Forme que je vois ici et prie mon cher Seigneur, de qui cette Forme émane, qu'elle m'aide à accroître mon amour pour Lui. »

Ceux qui n'agissent pas de cette manière mais montrent de la malice, de l'envie ou ridiculisent d'autres processus religieux, dévient certes de la vraie religion, manifestant ainsi leur manque d'intelligence. S'ils aimaient réellement le Seigneur Suprême, ils ne seraient nullement attirés par d'aussi vaines querelles.

Par ailleurs, bien qu'il soit insensé de se moquer des pratiques religieuses qui diffèrent de la nôtre, si nous y constatons quelque erreur véritable, nous ne devrions jamais la tolérer, mais bien plutôt nous efforcer de la déraciner de façon appropriée pour le plus grand bénéfice de ceux qui se sont fourvoyés dans leur pratique. Comment pourrions-nous agir autrement, si nous aimons vraiment Dieu et sommes prêts à défendre Sa cause ?

Pour cette raison, Caitanya Mahaprabhu réussit à convaincre bouddhistes, jaïns et mayavadis de leurs méprises et à les ramener dans la voie juste. Tous les dévots du Seigneur devraient suivre l'exemple de Shri Caitanya et rejeter tous les éléments négatifs de l'athéisme, de l'agnosticisme, du matérialisme, de la non-croyance en l'existence de l'âme spirituelle (qui équivaut à croire que de maintenir le corps représente une fin en soi), de l'hédonisme et de l'impersonnalisme. Tout dévot du Seigneur doit savoir que ces systèmes sont non seulement inauthentiques et décevants mais qu'ils ne constituent qu'un vague reflet des principes de la religion et qu'ils s'y opposent radicalement la plupart du temps. En vérité, nous devons prendre en pitié ceux qui s'attachent à de tels processus fallacieux. Suivant son habilité, le dévot s'efforce par tous les moyens de toujours protéger les hommes dans leur masse contre de tels fléaux.

Le pur amour pour Dieu, sans mélange, représente véritablement l'éternelle religion de l'âme spirituelle. Aussi, malgré les cinq grandes distinctions qui marquent les religions du monde, nous devrions reconnaître comme authentique tout processus dont le but est d'atteindre au pur amour pour Dieu. À quoi bon se quereller pour de futiles dissimilitudes? On ne juge de la valeur d'une méthode de réalisation spirituelle qu'à la pureté du but proposé.

Toutefois, quel que soit le Nom de Dieu ou la religion que nous adoptions, toutes les Écritures du monde prescrivent le chant du Nom du Seigneur pour notre purification spirituelle. Telle est la religion préconisée pour l'âge où nous vivons.

Mahomet a recommandé: « Glorifie le Nom de ton Seigneur, le Très-Haut. » (Coran 87.2) Et Saint Paul: « Quiconque invoquera le Nom du Seigneur sera sauvé ». (Romains 10: 13) Et Bouddha: « Tous ceux qui invoqueront Mon Nom avec sincérité Me rejoindront après la mort et Je les mènerai au Paradis. » (Voeux du Bouddha Amida 18) Le roi David déclara pour sa part: « Louez, serviteurs de Yahvé, louez le Nom de Yahvé! Béni soit le Nom de Yahvé, dès maintenant et à jamais! Du soleil levant au soleil couchant, loué soit le Nom de Yahvé. » (Psaumes 113:3) De même, les Écrits les plus vieux du monde, les *Védas* de l'Inde, déclarent avec insistance. « Chante les Saints Noms, chante les Saints Noms, chante les Saints Noms du Seigneur, car en cet âge de querelle pas d'autre moyen, pas d'autre moyen, pas d'autre moyen d'atteindre la réalisation spirituelle. »

(Brihannaradiya Purana 38. 126)

Le *mantra* Hare Krishna, composé de trois Noms: Hare, Krishna et Rama, qui désignent la puissance de félicité du Seigneur (Hare) et le Seigneur Lui-même en tant que l'Infiniment Fascinant (Krishna) ainsi que la Source intarissable de toute joie (Rama), lorsque seul ou en groupe on le chante ou le récite, a pour effet invariable de rétablir un état joyeux de conscience spirituelle, ce que corroborent depuis des millénaires les sages de l'Inde.

En effet, le Saint Nom de Krishna est chanté en Inde depuis toujours. Les Écritures védiques nous en donnent la preuve. Même aujourd'hui, des millions de personnes partout dans le monde chantent « Hare Krishna » pour réaliser leur identité spirituelle.

La structure du *mantra* en favorise le chant et l'écoute et réveille inévitablement notre conscience originelle: la conscience de Krishna. Telle est la puissance du Nom de Krishna que le Seigneur Caitanya glorifie ainsi: « Gloire au chant du Saint Nom du Seigneur. De nos cœurs il balaie toutes choses impures accumulées au cours des âges: il éteint le feu brûlant de l'existence conditionnée, avec ses naissances et morts sans fin. Ce chant répand sur tous la bénédiction la plus grande, diffusant ses rayons comme la bienveillante lune. Âme du savoir spirituel, il fait croître l'océan de félicité absolue; il nous donne de savourer pleinement le nectar dont nous languissons sans cesse. »

(Shiksashtaka 1).

ANNEXE 6

LES BIENFAITS
DU *MANTRA* HARE KRISHNA

Le docteur Daniel Goleman, rédacteur de Psychology Today et auteur de *The Varieties of Meditative Experiences*, déclare après avoir étudié les techniques méditatives des membres du Mouvement pour la Conscience de Krishna: « Les dévots de Krishna m'apparaissent comme des êtres humains charmants et productifs. Dans une culture comme la nôtre, où l'évolution spirituelle intérieure est quasiment ignorée au profit d'objectifs matériels, nous y gagnerions peut-être à étudier leurs pratiques méditatives. »

Tout le monde sait qu'il faut jouir d'une bonne santé pour vivre heureux. Bien manger, faire de l'exercice et se reposer suffisamment s'avèrent essentiels pour demeurer en pleine forme. Si nous négligeons ces besoins, notre corps s'affaiblit et sa résistance décroît. Sujets à l'infection, nous contractons finalement quelque maladie.

Mais plus important encore, bien que moins connu, est le besoin de nourriture et de soins spirituels de l'âme. Si nous oublions notre santé spirituelle, les tendances matérielles négatives comme l'anxiété, la haine, la solitude, les préjugés, l'avidité, l'ennui et la colère nous envahiront.

Afin de protéger l'âme contre ces souillures subtiles, les Écritures védiques recommandent d'intégrer à notre vie un programme d'examen de conscience et d'épanouissement intérieur constant, fondé sur la force spirituelle et la clarté d'esprit.

L'énergie transcendantale requise pour acquérir une satisfaction psychologique totale est innée. Il s'agit toutefois
de l'éveiller grâce à un procédé authentique. D'entre
toutes les pratiques spirituelles autorisées, les *Védas* éternels de l'Inde nous informent que la méditation sur le
mantra Hare Krishna est la plus puissante.

Le premier fruit du chant du *mantra* est résumé ainsi par
Shrila Prabhupada dans son commentaire sur la *Bhagavad
gita:* « L'expérience nous montre que quiconque chante
ou récite les Saints Noms (*Hare Krishna, Hare Krishna,Krishna
Krishna, Hare Hare, Hare Rama, Hare Rama, Rama Rama,
Hare Hare*) ressent en temps opportun une joie spirituelle
incomparable et se purifie très bientôt de toute souillure
matérielle. »

Au début, celui qui adopte ce chant voit sa conscience
s'éclaircir, son mental s'apaiser et toute impulsion ou habi-
tude indésirable le quitter. Et plus sa réalisation s'approfon-
dit, plus il perçoit la nature originelle de l'âme spirituelle.
Selon la *Bhagavad-gita*, l'illumination permet à l'être, une
fois son mental purifié, de réaliser son identité véritable et
de goûter une joie intérieure.

D'autre part, le *Caitanya-Caritamrta*, commentaire de
dix-sept volumes sur la vie et les enseignements du Seigneur Caitanya, le fondateur du Mouvement pour la
Conscience de Krishna, décrit le bienfait ultime du chant
des Saints Noms : « Ce chant éveille en l'être son amour
pour Krishna et lui donne de connaître le bonheur absolu.
Finalement, il obtient la compagnie de Krishna et s'engage dans Son service de dévotion, comme s'il plongeait
dans un vaste océan d'amour. »

Celui qui pratique le chant du *mantra* Hare Krishna en
récoltera donc d'innombrables fruits qui culminent dans la
conscience de Krishna et l'amour de Dieu. Il suffit d'appli-

quer méthodiquement ce procédé de méditation. Pour permettre à tous de bien saisir les effets progressifs de ce chant, nous discuterons maintenant de ses bienfaits principaux.

LA SÉRÉNITÉ

Initialement, la méditation vise à la maîtrise du mental, car en temps normal nous sommes esclaves de ses moindres désirs, appétits, caprices ou pensées. Dès qu'une idée nous effleure, nous cherchons aussitôt à l'accomplir. Or, la *Bhagavad-gita* (6.6) nous dit que l'adepte de la méditation doit apprendre à maîtriser son mental: « De celui qui l'a maîtrisé, le mental est le meilleur ami; mais pour qui a échoué dans l'entreprise, il devient le pire ennemi. »

Le mental matérialiste cherche à jouir de la vie en utilisant les sens pour goûter aux joies et relations matérielles. Il regorge de projets innombrables axés sur la satisfaction sensorielle et de par sa nature instable, il erre constamment d'un objet des sens à un autre. Ainsi vacille-t-il entre l'aspiration à quelque gain matériel et l'affliction née d'une perte ou frustration quelconque.

Krishna explique dans la *Bhagavad-gita* (2.66): « L'être inconscient de son identité spirituelle ne peut ni maîtriser son mental, ni affermir son intelligence; et comment dès lors, connaîtrait-il la sérénité? Et comment, sans elle, pourrait-il goûter au bonheur? » Le chant du mantra Hare Krishna nous permet de maîtriser le mental au lieu de le laisser nous dominer.

Le mot sanskrit *mantra* vient de *mana* qui signifie «mental» et *tra*, qui se traduit par « libération ». Ainsi, le *mantra* est une vibration sonore transcendantale qui a pour effet de libérer le mental de son conditionnement matériel.

Shrila Prabhupada explique dans son commentaire sur le *Srimad-Bhagavatam* : « Notre empêtrement dans la matière a pour origine les vibrations non spirituelles. » Chaque jour, nous écoutons les sons matériels que diffusent la radio et la télévision, ou nos parents et amis, et nous agissons en conséquence. Mais comme le souligne Shrila Prabhupada: « Le son existe également dans lé monde absolu. La vie spirituelle commence lorsque nous entrons à son contact. » Quand nous maîtrisons le mental en le fixant sur la vibration du *mantra* Hare Krishna, il s'apaise aussitôt. De même que la musique a le don d'apprivoiser certains fauves, les sonorités spirituelles du *mantra* calment le mental agité. Le *mantra* Hare Krishna, investi des énergies suprêmes de Dieu, a le pouvoir d'alléger toute perturbation mentale. Telles les eaux calmes d'un lac limpide, les perceptions du mental non troublé par les vagues du désir matériel se révéleront pures et claires. Le mental dans toute sa pureté réfléchira, tel un miroir sans poussière, une image inaltérée de la réalité, nous permettant ainsi d'aller au-delà des apparences pour saisir l'essence de toutes les expériences de la vie.

CONNAÎTRE L'ÂME

Les *Védas* nous apprennent que la conscience est une énergie de l'âme. Celle-ci, dans son état pur, habite le monde spirituel; toutefois, au contact de la matière, l'être vivant est recouvert par l'illusion du faux égoïsme. Le faux ego égare la conscience et provoque l'identification au corps matériel. Or, nous ne sommes pas ce corps. Nous disons: « Ceci est mon doigt, ceci est ma jambe ». Le moi conscient est donc le possesseur et l'observateur du corps. L'intelligence perçoit sans mal cette vérité dont la réalisation spirituelle issue du chant du *mantra* Hare Krishna nous donne une expérience directe et ininterrompue.

Lorsque l'être vivant s'identifie au corps matériel et oublie sa véritable nature spirituelle, il redoute inévitablement la maladie, la vieillesse et la mort, Il craint aussi de perdre sa beauté, son intelligence et sa vigueur. D'innombrables anxiétés et fausses émotions liées au corps éphémère l'assaillent également. Mais ce chant, même au début, lui fera réaliser sa nature d'âme pure et immuable, entièrement distincte du corps. Puisque le *mantra* est une vibration spirituelle absolument pure, il a le pouvoir de rétablir la conscience de l'être à sa condition originelle. Il cesse alors d'être dominé par la jalousie, le fanatisme, l'orgueil, l'envie et la haine. Le Seigneur Krishna affirme dans la *Bhagavad-gita* (2.20): « L'âme est non née, immortelle, originelle et éternelle. » Lorsque se dissipe notre fausse identification au corps et que nous percevons notre véritable nature transcendantale, nous dépassons automatiquement toutes les craintes et angoisses de l'existence matérielle. Nous cessons de penser: « Je suis américain, je suis russe, noir, ou blanc. »

Cette prise de conscience nous fait aussi comprendre la nature spirituelle de tous les êtres vivants. Quand s'éveillent nos sentiments naturels, nous réalisons l'unité ultime de toute existence. Voilà ce qu'on entend par la libération: la réalisation spirituelle nous affranchit de toute animosité ou envie à l'égard des autres créatures.

Shrila Prabhupada explique cette vision supérieure dans l'*Enseignement de Prahlada Maharaja*: « Ceux qui deviennent pleinement conscients de Krishna ne disent plus: 'Voici un animal, voici un chat, un chien ou un ver de terre', car ils voient en toute chose une parcelle de Dieu. La *Bhagavad-gita* explique merveilleusement cette optique: 'Celui qui est vraiment versé dans la conscience de Krishna éprouve de l'affection pour toutes les entités vivantes.' À moins de s'établir à un tel niveau, il ne saurait être question de fraternité universelle. »

LE SECRET DU VRAI BONHEUR

Chacun aspire à un bonheur réel et durable. Mais du fait que le plaisir matériel est par nature éphémère et limité, on le compare à une goutte d'eau dans le désert. Les sensations et relations de ce monde, impuissantes à combler les désirs spirituels de l'âme, ne peuvent nous offrir aucun soulagement permanent. Le chant du *mantra* Hare Krishna cependant garantit une satisfaction totale car il nous relie directement à Dieu et à Sa puissance de félicité. Dieu est la fontaine de tout bonheur; si nous entrons à Son contact, nous pourrons aussi goûter cette joie transcendantale.

Les Écritures védiques racontent à ce sujet une histoire qui montre bien comment le plaisir que procure le maha *mantra* surpasse de beaucoup tout gain matériel. Un jour, un *brahmana* de condition modeste voua son adoration à Shiva pour obtenir de lui une bénédiction. Shiva, toutefois, lui conseilla de se rendre auprès du sage Sanatana Goswami, qui saurait combler son désir. Apprenant que Sanatana possédait une pierre philosophale, le *brahmana* lui demanda s'il pouvait l'avoir. Sanatana consentit à lui donner cette pierre qu'il avait abandonnée parmi les ordures. Le *brahmana* le quitta fou de joie car il pouvait maintenant obtenir autant d'or qu'il le désirait: il lui suffisait pour cela de mettre du fer au contact de sa pierre philosophale. Toutefois, une pensée lui vint plus tard à l'esprit: « S'il s'agit là de la plus haute bénédiction qui soit, pourquoi Sanatana Gosvami gardait-il ce trésor dans les ordures? »

Sur ce, il retourna auprès du sage pour satisfaire sa curiosité. Le sage l'informa alors: « À vrai dire, ce n'est pas la bénédiction suprême. Es-tu réellement désireux d'obtenir de moi la plus insigne des grâces? »

Et le *brahmana* de répondre avec empressement : «Oui, maître; c'est pour cela même que je suis venu te voir. » Alors, Sanatana Gosvami lui demanda de jeter la pierre philosophale dans la rivière et de revenir le voir. Le *brahmana* s'exécuta, et lorsqu'il fut de retour, Sanatana l'initia au chant du *mantra* Hare Krishna, cette méthode sublime qui nous fait connaître le plus grand bonheur spirituel qui soit.

S'AFFRANCHIR DU *KARMA*

Le mot *karma* définit une loi de la nature selon laquelle toute action matérielle, bonne ou mauvaise, entraîne obligatoirement des conséquences pour son auteur, ou pour reprendre les mots de la Bible: « Vous récolterez ce que vous avez semé. » (Galates 6:7) Nos actions matérielles sont comparables à des graines. Ces actions sont accomplies, les graines sont plantées, et peu à peu elles germent et portent leurs fruits, sous forme de conséquences diverses. Empiégés dans le filet des actions et de leurs suites, nous voilà contraints de revêtir un corps après l'autre pour subir notre *karma*. Il est pourtant possible d'échapper à un tel sort par le chant sincère des Saints Noms de Krishna. Puisque les Noms de Dieu débordent d'énergie spirituelle, l'être qui les entend ou les prononce s'affranchit du cycle perpétuel du *karma*.

De même qu'une graine perd toute chance de germer lorsqu'on la fait frire, les conséquences karmiques de nos actes sont anéanties par la puissance des Saints Noms du Seigneur. Krishna est comme le soleil qui jouit d'un tel pouvoir qu'il purifie tout ce qu'il touche de ses rayons. De la même façon, quand notre conscience s'absorbe dans

la vibration transcendantale du Nom de Krishna, Ses puissances internes nous lavent' de tout *karma*. Shrila Prabhupada déclare dans son commentaire sur le *Shrimad-Bhagavatam* (6.13.8-9): « Le Saint Nom recèle une si grande
puissance spirituelle que le simple fait de le prononcer
permet de s'affranchir des suites de tout acte coupable. »

S'AFFRANCHIR
DE LA RÉINCARNATION

Les *Védas* enseignent que l'être vivant, ou l'âme, est de
nature éternelle: dû à ses activités passées et ses désirs
matériels, il doit néanmoins accepter diverses enveloppes
charnelles. Tant que nous garderons la moindre aspiration
matérielle, la nature, sous la direction de Dieu, nous oc-
troiera un corps physique l'un après l'autre. Voilà ce qu'on
appelle la réincarnation, ou la transmigration de l'âme. À
vrai dire, ce changement de corps n'a rien d'étonnant car
nous revêtons divers corps au cours de cette vie même;
d'abord, celui d'un bébé, puis celui d'un enfant, d'un
adulte et enfin d'un vieillard. De même, lorsque meurt ce
dernier corps, nous en obtenons un neuf.

Il est possible d'échapper à ce cycle, appelé *samsara*, ou
la roue sans fin des morts et des renaissances, en libérant
notre conscience de tout désir matériel. Le chant du *mantra* Hare Krishna réveille les aspirations naturelles, spirituelles, de l'âme. Il est dans la nature du corps de ressentir l'attrait du plaisir des sens et il est tout aussi naturel pour l'âme
d'être attirée par Dieu. Ce chant éveille donc notre conscience divine originelle et notre désir de servir le Seigneur
et de vivre en Sa compagnie. Cette simple transformation
de la conscience nous permettra de transcender le cycle
de la réincarnation.

Shrila Prabhupada discute ce point dans son commentaire sur la *Bhagavad-gita* (8.6): « Nos pensées à l'ins-tant de la mort sont principalement déterminées par la somme des actes et pensées de notre vie entière; ce sont nos actes présents qui décident de notre condition future. Ainsi, spirituellement absorbés dans le service de Krishna au cours de cette vie, nous aurons en quittant notre « enveloppe » actuelle un corps spirituel, et non plus matériel. Le chant du *mantra* Hare Krishna est donc le meilleur moyen d'atteindre à l'existence absolue. »

LE BIENFAIT ULTIME: L'AMOUR POUR DIEU

Le but ultime et le fruit suprême du chant ou de la récitation du *maha-mantra* consistent à réaliser parfaitement qui est Dieu et à développer un amour pur pour Lui.

Plus notre conscience se purifie, plus notre progrès spirituel constant se reflétera dans notre conduite. Dès qu'à l'horizon pointe le soleil, une chaleur et une lumière toujours grandissantes l'accompagnent. Pareillement, alors que la réalisation du Saint Nom de Krishna s'éveille dans le cœur, cette conscience spirituelle croissante se manifeste dans toutes les facettes de notre personnalité. Finalement, le lien d'amour éternel qui unit Dieu et l'être vivant est rétabli. Avant de descendre dans l'univers matériel, chaque âme jouissait d'une relation spirituelle unique avec le Seigneur. Ce lien d'amour surpasse mille fois dans son intensité tout amour matériel. Le *Caitanya-caritamrta* (*Madhya* 22.107) le décrit ainsi: « Le pur amour pour Krishna existe de toute éternité dans le coeur des êtres. On n'a pas à le puiser ailleurs qu'en l'être. Et lorsque le cœur se purifie par le chant et l'écoute des gloires du Seigneur, l'être s'éveille alors naturellement. »

Notre condition naturelle et éternelle dans le monde spirituel nous donne de vivre en la présence intime de Dieu et de Le servir avec amour et dévotion. Le pur dévot qui éprouve une telle affection spirituelle pour le Seigneur baigne dans l'extase transcendantale que dépeint ainsi le *Nectar de la Dévotion* : « C'est alors que le cœur devient resplendissant comme un soleil radieux. Aucun nuage ne peut recouvrir le soleil qui évolue très haut dans l'espace; de même, lorsque le dévot devient aussi pur que le soleil, de son cœur jaillissent des rayons d'amour extatique, plus éblouissants encore que ceux du soleil. »

**Hare Krishna, Hare Krishna, Krishna Krishna, Hare Hare Hare
Rama, Hare Rama, Rama Rama, Hare Hare**

ANNEXE 7

L'ART DE CHANTER HARE KRISHNA

La méditation est un commerce très prospère de nos jours. Des « messies », des « *gurus* » et des « incarnations » armés de toutes sortes de *mantras*, on en trouve à la pelle et les clients avides affluent aux pieds de ces prétendus sauveurs. Un de ces soi-disant *gurus* enseigne à ses disciples diverses techniques miraculeuses pour s'enrichir. Un autre promet à ses partisans que la méditation améliorera leur intelligence et leur santé, leur permettant de jouir davantage des plaisirs sensuels. D'autres encore prétendent que le sexe représente le but ultime de la vie et que de s'y adonner sans restreinte nous affranchira de tout désir matériel. Certaines personnes en quête de spiritualité dépensent une fortune pour obtenir quelque *mantra* confidentiel qui selon eux leur permettra d'accomplir des merveilles. Les Écritures védiques toutefois nous mettent bien en garde quant à ces charlatans et leurs faux *mantras*.

Celui qui aspire vraiment à la vie spirituelle doit approcher un *guru* authentique et apprendre de lui l'art de la conscience de Krishna. La *Mundaka Upanishad* (1.2.12) déclare : « Qui veut connaître la science de l'Absolu doit approcher un maître spirituel qualifié appartenant à la succession initiatique et ayant parfaitement réalisé la Vérité Absolue. »

Ce verset nous informe que le maître spirituel doit faire partie de la filiation spirituelle issue du Seigneur Krishna, le précepteur suprême. Un tel *guru* reçoit l'enseignement de Krishna à travers la lignée de maîtres spirituels, sans l'altérer ni ne le diluer d'aucune manière. Le *guru* authentique ne peut être ni un impersonnaliste ni un nihiliste. De plus, il ne prétendra jamais être lui-même Dieu; au contraire, il n'aspire qu'à devenir Son serviteur et celui de Ses dévots. Un tel *guru* est qualifié d'*achar-ya* puisqu'il enseigne par son exemple. Sa vie est exempte de toute aspiration matérielle et de toute conduite répréhensible; il trouve ainsi qualité pour délivrer ses disciples du cycle des morts et des renaissances répétées. Le *guru* conscient de Krishna s'absorbe à chaque instant dans sa méditation sur le Seigneur Suprême ou le service qu'il Lui offre.

Puisque le Saint Nom de Krishna est de nature purement spirituelle, il doit être reçu du pur représentant du Seigneur, qui sert d'intermédiaire entre Dieu et l'âme sincère en quête de spiritualité. À moins d'accepter un *mantra* d'un tel *guru*, il n'aura pas d'effet.

Sa Divine Grâce A. C. Bhaktivedanta Swami Prabhupada écrit dans son Shrimad-Bhagavatam: « A moins d'être reçu de la filiation spirituelle, aucun *mantra* ne produira les effets attendus. Aujourd'hui, de nombreux *gurus* sans scrupules fabriquent de toutes pièces des *mantras* qui favorisent le progrès matériel plutôt que l'évolution spirituelle. Toutefois, ces *mantras* inauthentiques ne seront jamais efficaces. Les *mantras* et la pratique du service de dévotion jouissent d'une puissance spéciale, pourvu qu'on les reçoive d'une personne autorisée. »

Le plus important aspect du *mantra* Hare Krishna consiste à le recevoir d'un *guru* authentique qui vit en parfaite harmonie avec l'enseignement de Krishna, contenu dans la *Bhagavad-gita*.

Le chant du *maha-mantra* s'avère être la méthode de réalisation spirituelle la plus simple qui soit. De plus, il ne vous en coûtera rien car ce *mantra* est gratuit. Le commerce des *mantras* est une sorte de tricherie. Ce n'est pas parce qu'on débourse une certaine somme d'argent qu'on est sincère; il faut être prêt à changer.

COMMENT PRATIQUER
LE CHANT DES SAINTS NOMS

Aucune règle stricte ne régit le chant du *mantra* Hare Krishna, qu'on peut d'ailleurs pratiquer partout et en tout temps. Il existe deux façons de chanter les Noms de Krishna: la première consiste en une méditation personnelle appelée *japa*. La seconde est le *kirtana*. Celui-ci s'effectue en groupe et s'accompagne d'instruments de musique. Pour pratiquer la première forme de méditation, vous n'avez besoin que d'un chapelet disponible au temple de Krishna le plus près de chez vous.

Prenez le chapelet dans la main droite. Tenez le premier grain entre le pouce et le majeur et récitez le *maha-mantra*: *Hare Krishna, Hare Krishna, Krishna Krishna, Hare Hare/ Hare Rama, Hare Rama, Rama Rama, Hare Hare.* Après avoir récité tout le *mantra*, répétez-le sur le grain suivant. Continuez ainsi jusqu'à ce vous ayez prononcé le *mantra* sur les 108 grains de votre chapelet, mais non sur le grain principal. Changez maintenant de direction et recommencez de sorte que le dernier grain sur lequel vous avez récité le *maha-mantra* devienne le premier de votre deuxième chapelet. Il est recommandé de méditer ainsi car le chapelet engage le sens du toucher et favorise une plus grande concentration sur la vibration sonore du *mantra*.

Vous pouvez pratiquer ce chant à l'intérieur comme à l'extérieur, en marchant sur la plage ou encore dans le métro ou l'autobus, etc. Si vous chantez assis, adoptez une position confortable, mais évitez de vous étendre, sinon vous risquez de vous endormir. Récitez le *mantra* à voix basse ou haute; toutefois, prononcez-le clairement et assez fort pour l'entendre. Votre mental sera peut-être enclin à errer vers d'autres préoccupations durant cette méditation, car il est instable et vacillant, contemplant toujours quelque nouvel objet de plaisir. Ramenez-le donc doucement vers la vibration transcendantale du *mantra*. Rien n'est plus simple car votre mental sera aisément comblé lorsqu'il baignera dans le son divin des Saints Noms au Seigneur, contrairement aux autres formes de méditation où il est requis de fixer son mental sur le « vide » ou le « néant ».

Il n'y a pas d'heure précise pour s'adonner au *japa*, bien que les Écritures védiques soulignent que certaines heures du jour sont plus propices aux activités spirituelles. Les heures matinales précédant et suivant immédiatement le lever du soleil apportent généralement calme et tranquillité; elles sont donc parfaitement désignées pour ce chant méditatif. Commencez par réciter un ou deux chapelets par jour, puis augmentez peu à peu jusqu'à seize; tel est le minimum de chapelets prescrit pour les adeptes sérieux de cette voie.

Le *japa* se pratique donc sur un chapelet tandis que le *kirtana* est une forme de méditation collective où le chant du *mantra* s'accompagnera parfois d'instruments de musique. Vous avez peut-être déjà aperçu un groupe de dévots chantant ainsi dans la rue car le *kirtana* est une activité quotidienne du Mouvement pour le Conscience de Krishna, destinée à permettre aux foules de profiter du chant, des Saints Noms du Seigneur.

Vous pouvez cependant vous livrer au *kirtana*, en compagnie de votre famille ou de vos amis. Il s'agit d'une méditation beaucoup plus intense car en plus de vous entendre chanter personnellement les Noms de Dieu, vous bénéficiez également de la participation des autres. Un accompagnement musical rehaussera davantage cette expérience mais il ne s'avère pas essentiel. On pourra tout aussi bien chanter le *mantra* sur une mélodie quelconque en frappant simplement dans ses mains. Bien que les airs traditionnels que vous entendrez au temple soient préférables, il ne s'agit pas d'une règle absolue. Vos enfants, si vous en avez, pourront aussi se joindre à vous et progresser sur le sentier de la spiritualité. Pourquoi ne pas regrouper chaque soir toute la famille pour chanter les Saints Noms ?

Les sonorités matérielles sont insipides, banales et monotones, mais celles du *mantra* Hare Krishna, dû à leur nature spirituelle, créent une expérience toujours fraîche.

Faites-en vous-même l'essai. Répétez ou chantez ne serait-ce que cinq minutes le même mot ou la même phrase : Vous n'y trouverez aucun plaisir et vous en serez vite fatigué. Mais le son du Nom de Krishna est purement transcendantal; par suite, plus on le chante, plus on veut le chanter encore.

Hare Krishna, Hare Krishna, Krishna Krishna, Hare Hare Hare Rama, Hare Rama, Rama Rama, Hare Hare

ANNEXE 8

GLOSSAIRE

A

Abhakta: Quiconque ignore ou refuse les principes du service de dévotion, par opposition au *bhakta*.

Acarya: (littérat.: qui enseigne par son exemple.) Maître spirituel authentiquement qualifié. Il doit appartenir à une filiation spirituelle remontant à Dieu, la Personne Suprême, et ainsi transmettre, sans le trahir, Son message originel. Il montre à tous les êtres comment suivre la voie du Seigneur, Sri Krishna, et sa vie est l'exemple même de son enseignement. (Dans un sens moins spécifique, on trouve ce mot utilisé pour certains personnages qui ont tenu le rôle de précepteur et eu des disciples sous leur tutelle.)

Âme (*atma, jivatma, anu-atma*, ou *vijnanam brahman*): Infime parcelle d'énergie, partie intégrante de Dieu, l'âme est l'être en soi; elle est différente du corps dont elle habite le coeur, et y constitue l'origine de la conscience. Comme Dieu, comme l'Être Suprême, l'âme a une individualité propre, et sa forme est toute d'éternité, de connaissance et de félicité. Elle demeure cependant toujours distincte de Dieu et ne L'égale jamais, car si elle en possède les attributs, c'est en infime quantité seulement. Elle constitue l'énergie marginale de Dieu, car elle peut pencher soit vers l'énergie matérielle, soit vers l'énergie spirituelle. On la désigne également par les noms "d'être vivant" (*atma*), "âme distincte" (*jivatma*) ou "âme infinitésimale" (*anu-atma*), selon l'aspect sur lequel on désire insister.

Âme conditionnée : Se dit de l'âme incarnée qui, par ce qu'elle s'identifie à son corps, se trouve sous le joug des lois de la nature.

Âme distincte: Voir **Âme.**

Âme Suprême: Voir **Paramatma.**

Asrama :

1. Chacune des quatre étapes de la vie spirituelle. (Voir *Brahmacarya, Grhastha, Vanaprastha* et *Sannyasa*). Ces quatre étapes permettent à l'homme qui les suit de réaliser pleinement son identité spirituelle avant qu'il ne quitte son corps.
2. Lieu où l'on pratique la recherche de la réalisation spirituelle.

Asura :

1. Quiconque n'applique pas les enseignements des Écritures et se donne pour seul but de jouir toujours plus des plaisirs de ce monde. Plus il s'attache à la matière, plus il tend à être démoniaque, et d'autant plus il refuse l'existence de Dieu, la Personne Suprême.
2. Être nettement démoniaque, qui s'oppose ouvertement aux principes de la religion et à Dieu.
3. Monstre malfaisant, tel qu'il en existait sur Terre à l'époque où Krishna y est apparu.

Avatara : (littérat.: qui descend.) Dieu, l'une de Ses émanations plénières ou l'un de Ses représentants, « descendu » du monde spirituel dans l'univers matériel pour rétablir les principes de la religion.

B

Baladeva: Autre Nom de **Balarama.**

Balarama, ou Baladeva : Première émanation plénière de Krishna. Lorsque le Seigneur vint sur Terre, il y a 5 000 ans, Balarama apparut avec Lui comme Son frère aîné, fils de Vasudeva.

Bhagavan: Celui qui possède pleinement les six perfections: beauté, richesse, renommée, puissance, sagesse et renoncement. Ce Nom désigne la Vérité Absolue en Son aspect ultime, ou Dieu, la Personne Suprême. (Voir **Brahman 2** et **Paramatma**).

Bhakta : *bhakti-yogi, santa,* ou *vaisnava*: Spiritualiste de l'ordre le plus élevé (voir **Yogi 1**), adepte du *bhakti-yoga,* ou dévot du Seigneur Suprême. Il s'attache à l'aspect personnel, suprême, de la Vérité Absolue.

Bhakti : Amour et dévotion pour le Seigneur, que caractérise l'engagement, une fois purifiés, des sens de l'être distinct au service des sens du Seigneur.

Bhaktivinoda Thakura : Grand *acarya* dans la lignée de Caitanya Mahaprabhu. Père de Bhaktisiddhanta Sarasvatî et pionnier du Mouvement pour la Conscience de Krishna en Occident.

Bhakti-yoga, *buddhi-yoga, karma-yoga,* ou *brahma-yoga* (service de dévotion) **:** La voie du développement de la *bhakti*, de l'amour pour Dieu, en son état pur, sans la moindre teinte d'action intéressée (*karma*) ou de spéculation philosophique (*jnana*). Il constitue l'étape finale du yoga tel que l'enseigne la Bhagavad-gita, et se pratique par l'abandon de soi au Seigneur Suprême, Sri Krishna, à travers les neuf activités dévotionnelles et sous la direction d'un *acarya*.

Bhakti-yogi : Autre nom pour *Bhakta*.

Bharata : Nom d'Arjuna, « descendant de Bharata ».

Brahma : Premier être créé dans l'univers. Il reçoit du Seigneur Suprême le pouvoir de tout créer dans l'univers, dont il est le régent principal. Il appartient aussi au groupe des douze *mahajanas*. Également, divinité de la *passion (rajo-guna)*.

Brahmacari :
1. Celui qui vit selon les normes du *brahmacarya*. (Voir **Brahmacarya**)
2. Homme marié qui observe les normes védiques de la vie conjugale.

Brahmacarya : Première étape de la vie spirituelle (voir *Asrama*); période de célibat, de continence, et d'études sous la tutelle d'un maître spirituel qualifié.

Brahmaloka, ou Satyaloka: Planète de *Brahma*, la plus évoluée de tout l'univers.

Brahman : Brahman, ou *brahmajyoti*: radiance émanant du Corps absolu de Sri Krishna (Bhagavan) et représentant l'aspect impersonnel de la Vérité Absolue, ou le premier degré de réalisation de l'Absolu. (Voir **Bhagavan** et **Paramatma**)

Brahmanas, ou *brahma-janas* : Sages et érudits qui guident la société; leur groupe constitue l'un des quatre *varnas*. (Voir **Varna**)

Bhrgu Muni: Grand sage, le plus puissant des fils de *Brahma*.

Bouddha : *Avatara* venu au commencement du *kali-yuga* pour enseigner la non-violence et ainsi mettre fin aux sacrifices d'animaux.

C

Caitanya Mahaprabhu : *Avatara* venu en Inde, il y a 500 ans, pour enseigner aux hommes le *yuga-dharma* (la voie de réalisation spirituelle en fonction de chaque âge), soit, dans le nôtre, le chant des Saints Noms de Dieu, et lutter ainsi contre les influences dégradantes du *kali-yuga*. (Voir **Kali-yuga**). Bien qu'Il fut en réalité Krishna Lui-même, Il joua le rôle d'un *bhakta* afin de nous montrer comment raviver notre amour pour Lui, amour dont Il inonda l'univers en le distribuant librement à tous les êtres.

Candra : *Deva* de la lune.

Candraloka : La lune, planète de Candra.

Conscience de Krishna :

1. Le fait d'être conscient de Krishna, de Le connaî-tre, de méditer sur Lui, d'agir pour Lui, de répandre Ses gloires...

2. Monde où l'on est conscient de Krishna. La manifestation la plus immédiate en est le Mouvement pour la Conscience de Krishna, avec ses cadres, ses lois et ses principes.

Corps matériel : « Vêtement » temporaire que revêt l'âme conditionnée. Il est formé de huit éléments, cinq bruts, ou « grossiers » (eau, terre, feu, air et éther), et trois subtils (mental, intelligence et faux ego).

Corps spirituel : Forme originelle de l'être. Il est constitué des éléments spirituels *sat, cit* et *ananda (sac-cid-ananda)*, qui sont respectivement l'éternité, la connaissance et la félicité absolues.

D

Deva :
1. Être vertueux, serviteur de Dieu.
2. Être que le Seigneur a doté du pouvoir de régir un secteur de la création universelle, qui le soleil, qui les pluies, qui le feu.... et de veiller ainsi aux besoins de tous les êtres.
3. Habitant des planètes édéniques.

Devaki : Mère choisie par Krishna quand Il apparut sur Terre, il y a 5000 ans.

Devaloka : Autre nom pour **Svargaloka**.

Dharma :
1. « Religion », fonction naturelle et éternelle de l'être distinct, qui est de suivre les lois établies par Dieu et de Le servir avec amour et dévotion.
2. Autre nom pour les différents devoirs religieux, sociaux, familiaux... (*svadharmas*) de l'homme.
3. Qualité inhérente à un objet donné.

Diti : Epouse du sage Kasyapa et mère des Daityas.

Duryodhana : Le plus important des fils de Dhrtarastra, chef des Kurus lors de la Bataille de Kuruksetra.

E

Écritures : Voir **Écritures révélées**.

Écritures révélées, ou Écritures (*sastras*) **:** Renvoie aux Écrits védiques en général (*sruti*) ou à tout autre écrit faisant autorité en matière de science spirituelle (*smrti*), c'est-à-

dire expliquant de façon *parampara* (voir **Parampara 2**)
la nature de la Vérité Absolue, ou l'Être Suprême, de l'âme
distincte, et du lien éternel qui les unit.

Écritures védiques (*Vedas*) : Elles comprennent les quatre
Vedas (le *Rk*, le *Yajus*, le *Sama* et l'*Atharva*), ainsi que les
cent huit *Upanisads*, qui constituent leur partie philosophique, et leurs compléments: les dix-huit *Puranas*, le *Mahabharata* (dont fait partie la *Bhaga-vad-gita*), le *Vedanta-
sutra* et le *Srimad-Bhagavatam*. L'avatara Vyasadeva y a
compilé, voici 5 000 ans, toute la connaissance spirituelle,
émise à l'origine par Krishna Lui-même et transmise jusqu'
alors par voie orale. (Y appartient également tout autre
écrit *param-para* (voir **Parampara 2**), tel le *Ramayana*, le
Bhakti-rasa-mrta-sindhu, le *Caitanya-caritamrta* ...)

Ego matériel, ou faux ego (*ahankara*) : « Nœud » qui
retient ensemble l'âme et le corps. Illusion d'être le maître
absolu, le possesseur suprême et le bénéficiaire légitime
de tous les plaisirs du monde, par quoi l'âme distincte
s'identifie au corps de matière qu'elle revêt et à tout ce
qui s'y rapporte (apparence, nationalité, race, famille,
appartenance religieuse, plaisirs et souffrances ...). Il est à
l'origine du conditionnement matériel.

Ekadasi : Jour sacré, survenant deux fois dans le mois (le
onzième jour du déclin de la lune, puis de la croissance
de la lune) au cours duquel les Écritures recommandent,
entre autres observances, de jeûner (ou au moins de
s'abstenir de manger toute céréale ou légumineuse) et
de minimiser les soins apportés au corps afin de consacrer
davantage de temps à l'écoute et au chant, ou au récit,
des gloires du Seigneur.

Émanation plénière (*visnu-tattva*): Manifestation de Dieu,
Krishna, à travers une Forme personnelle autre que Sa
Forme première, mais possédant les mêmes pouvoirs
absolus que Lui.

Énergie externe : L'une des trois principales énergies du Seigneur (interne, marginale et externe). Elle est constituée de l'énergie matérielle.

Énergie illusoire : Voir **Maya**.

Énergie interne : L'une des trois principales énergies du Seigneur (interne, marginale et externe). Elle constitue le monde spirituel.

Énergie inférieure : Autre nom pour **Énergie matérielle.**

Énergie marginale : L'une des trois principales énergies du Seigneur (interne, marginale et externe). Elle est constituée par les êtres vivants, parties infimes de Dieu, qui, bien que de nature spirituelle, peuvent, à cause de leurs pouvoirs limités, tomber sous l'influence de l'énergie matérielle.

Énergie matérielle, énergie inférieure, ou nature matérielle (*apara-prakrti*) : L'une des deux principales énergies du Seigneur (spirituelle et matérielle). Elle est formée par les vingt-quatre éléments matériels (les cinq éléments bruts, les trois éléments subtils, les cinq objets des sens, les cinq organes de perception, les cinq organes d'action et l'ensemble des trois *gunas* à l'état non manifesté), et constitue l'univers où nous vivons. Les interactions de ces éléments s'opèrent sous l'influence du temps et au contact de l'énergie spirituelle du Seigneur, dont elle se distingue en ce qu'elle est tantôt manifestée, tantôt non manifestée.

Énergie spirituelle, ou énergie supérieure (*para-prakrti*): L'une des deux principales énergies du Seigneur (spirituelle et matérielle). Elle est l'énergie vivante, toute d'éternité, de connaissance et de félicité (*sac-cid-ananda*), qui constitue le monde spirituel et, aussi, anime l'énergie matérielle.

Énergie supérieure : Autre nom pour **Énergie spirituelle**.

Entité vivante : Âme incarnée, c'est-à-dire ayant revêtu un corps au sein d'une des 8 400 000 espèces vivantes qui peuplent l'univers (900 000 espèces aquatiques, 2 000 000 d'espèces végétales, 1 100 000 espèces d'insectes et de

reptiles, 1 000 000 d'espèces d'oiseaux, 3 000 000 d'espèces de mammifères et 400 000 espèces humaines).

États manifesté et non manifesté : (*vyakta et avyakta*): Les
Écritures védiques enseignent que l'univers matériel et tout
ce qu'il renferme existe, à intervalles réguliers, tantôt comme manifesté, tantôt comme non manifesté. Il devient
manifesté lorsque les éléments qui le composent émanent
du Corps de *Maha-Visnu* et que Celui-ci, de Son regard, y
projette les êtres vivants. Il redevient non manifesté lorsque
toute chose rejoint le Corps de ce même *Maha-Visnu*, les
éléments matériels comme les êtres vivants (ces derniers
n'en continuant pas moins alors d'exister individuellement,
mais dans un état semblable à un sommeil prolongé).

F

Faux ego : Autre nom pour **Ego matériel.**
Filiation spirituelle, ou succession disciplique (*param-para*):
Succession de maîtres spirituels qui ont transmis, sans l'alté-
rer, l'enseignement originel du Seigneur jusqu'à nos jours.
Forme *arca* : Autre nom pour ***Murti.***

G

Gange : Fleuve sacré qui traverse l'univers entier et tire son
origine des pieds pareils-au-lotus de Visnu. Ses eaux ont le
pouvoir de purifier quiconque s'y baigne de toute souillure
matérielle.
Gautama : Un des sept principaux philosophes de l'Inde.
Gopis : Jeunes villageoises, compagnes de Krishna à Vrndavana. Elles incarnent, en raison de leur pur amour pour
Lui, la plus haute dévotion au Seigneur.
***Gosvami,* ou *svami* :**
   1. *gosvami*: celui qui maîtrise parfaitement ses sens et
      son mental, par opposition au *godasa*. (Écrit avec
      une majuscule, sert parfois de titre, accom-pagnant
      le nom de sages et *acaryas*.)

2. Gosvami: chacun des six grands sages de Vrnda-vana, proches disciples de Caitanya Maha-pra-bhu: Rupa Gosvami, Sanatana Gosvami, Raghu-natha Bhatta Gosvami, Jiva Gosvami, Gopala Bhatta Gosvami et Raghunatha Dasa Gosvami. Ils contribuèrent à poursuivre la mission de Sri Caitan-ya et élaborèrent Son enseignement à travers de nombreux écrits sur la science du service de dévotion.

Govardhana : Colline située à Vrndavana, le village où Krishna passa Son enfance il y a 5 000 ans. A l'âge de sept ans, le Seigneur démontra qu'Il n'était pas un être ordinaire en soulevant cette colline avec le petit doigt de Sa main gauche, sept jours durant, afin de protéger les habitants de Vrndavana contre un violent orage causé par Indra, le roi des planètes édéniques.

Govinda :
1. Nom de Krishna, « source de plaisir et de joie pour la terre, pour les vaches et pour les sens de tous les êtres ».
2. Émanation plénière de Krishna qui règne sur une des planètes Vaikunthas.

Grhastha :
1. Seconde étape de la vie spirituelle (voir *Asrama*); période de vie familiale et sociale en conformité avec les Écritures.
2. Celui qui vit selon les normes de cet *asrama*.

Gunas : Au nombre de trois: *sattva-guna (vertu), rajo-guna (passion)* et *tamo-guna (ignorance)*. Il s'agit des diverses influences qu'exerce l'énergie matérielle illusoire sur les êtres et les choses; ils déterminent, entre autres, la façon d'être, de penser et d'agir de l'âme qu'ils conditionnent. C'est par leurs interactions que s'opèrent la création, le maintien et la destruction de l'univers. (Voir **Vertu, Passion** et **Ignorance**.) (Le mot a également le sens de "corde".)

Guru : Voir **Maître spirituel**.

H

Haridasa Thakura: Grand *bhakta*, disciple de Caitanya Mahaprabhu, qui lui conféra le titre de *namacarya*, « maître du chant des Saints Noms », en raison de son vœu strict de chanter chaque jour 300 000 fois le Nom du Seigneur.

I

Ignorance *(tamo-guna)* **:** L'un des trois *gunas*. Son influence entraîne, pour celui sur qui elle s'exerce, l'illusion, la confusion, la paresse et l'usage d'intoxicants. Il est régi par Siva.

Impersonnaliste :
1. Autre nom pour **Mayavadi.**
2. Partisan du monisme.
3. Celui qui ne voit la Vérité Absolue que dans Ses énergies, et ne réalise par là que Son aspect impersonnel.

Indra : *Deva* de la pluie et de la foudre; il règne sur les planètes édéniques et tous les autres *devas*.

Indraloka : Planète d'Indra.

Intelligence :
1. L'intelligence matérielle: se définit par le pouvoir d'évaluer les impulsions reçues par le mental et d'analyser la nature ainsi que le fonctionnement de l'énergie matérielle. Cependant, parce qu'elle les étudie sans tenir compte de leur rapport avec Dieu, cause originelle de toutes choses, elle demeure incomplète, et peut n'être utilisée que pour satisfaire aux demandes du corps. C'est donc une énergie matérielle subtile, capable de voiler la conscience du moi spirituel.
2. L'intelligence spirituelle (*buddhi*): intelligence originelle de l'être, permettant, elle, de comprendre comment toute chose (y compris soi-même) existe

en relation avec Dieu, la Personne Suprême. C'est par elle que nous nous libérons de nos conceptions matérialistes de la vie.

Isopanisad, *Sri Isopanisad, Isa Upanisad*, ou *Veda Upanisad* : La plus importante des *Upanisads*, en ce qu'elle révèle plus directement l'aspect personnel de la Vérité Absolue.

J

Jagai et Madhai : Deux frères, exemples caractéristiques d'hommes entièrement déchus, tels qu'on en trouve dans cet âge, le *kali-yuga*. Cependant, malgré leur bassesse, ils reçurent la grâce de Sri Nityananda, en présence de Caitanya Mahaprabhu, et furent ainsi sauvés de la pire dégradation.

Janaloka : Un des systèmes planétaires supérieurs.

Japa :
1. Récitation individuelle des Saints Noms de Dieu - généralement à l'aide d'un *japa-mala* (voir **Japa-mala**) -, par opposition à *Kirtana*. (Voir **Kirtana 2**)
2. Premier stade de la logique d'argumentation.

Japa-mala : Chapelet de cent huit grains, généralement sculptés dans du bois de *tulasi*. (Voir **Tulasi**)

Jiva : Autre nom pour **Jivatma.**

Jiva Gosvami : Un des six grands sages, ou Gosvamis, de Vrndavana.

Jiva-tattva : Catégorie des êtres distincts (voir **Âme**), fragments et parties intégrantes de Dieu, la Personne Suprême, par opposition à *visnu-tattva*.

Jivatma, ou *jiva* : Voir **Âme.**

K

Kali : Déesse dont le culte est recommandé à ceux qui mangent de la chair animale.

Kali-yuga : Âge (*yuga*) de querelle et d'hypocrisie, dernier d'un cycle de quatre (*maha-yuga*); il dure 432 000 ans.

(Celui où nous vivons a commencé il y a 5 000 ans.) Il est essentiellement caractérisé par la disparition progressive des principes de la religion et l'unique souci de confort matériel.

Kalki : *Avatara* qui paraît à la fin du *kali-yuga* pour anéantir les êtres démoniaques, sauver les *bhaktas* et inaugurer un nouveau *satya-yuga*.

Karma :
1. Loi de la nature selon laquelle toute action matérielle, bonne ou mauvaise, entraîne obligatoirement des conséquences, lesquelles ont pour effet d'enchaîner toujours davantage son auteur à l'existence matérielle et au cycle des morts et des renaissances.
2. Tout acte conforme aux règles du *karma-kan-da*. (Voir **Karma-kanda 1**)
3. L'action, dans son acception la plus générale.
4. Les conséquences de l'action.

Karma-kanda :
1. Partie des *Vedas* qui traite du mode d'action prescrit en vue d'obtenir divers plaisirs matériels.
2. Sacrifice accompli pour en recueillir des fruits matériels déterminés.

Karma-yoga :
1. L'action dans la conscience de Krishna, autre nom du *Bhakti-yoga*.
2. Un des premiers échelons dans l'échelle du yoga. Il aide son adepte (le *karma-yogi*) à se défaire progressivement de toute souillure matérielle en lui apprenant à purifier ses actes.

Karma-yogi : Autre nom pour le *karmi*. (Voir **Karmi 2**)

Kirtana :
1. Glorifier le Seigneur, l'une des neuf activités spirituelles du service de dévotion. (Voir **Sankirtana**)

2. Chant collectif des Saints Noms et des gloires de
    Dieu, généralement accompagné d'instruments
    divers, par opposition à *japa*. (Voir **Japa 1**)

Krishna : Nom originel de Dieu, la Personne Suprême, dans
Sa Forme spirituelle première; signifie « l'infiniment
fascinant ». Aussi nommé Acyuta, Bhagavan, Damodara,
Devakinandana, Govinda, Hrsikesa, Jagatpati, Janarda-
na, Kesava, Kesinisudana, Madhava, Madhusudana,
Mahabaho, Mahesvara, Partha-sarathi, Purusottama,
Rama, Syamasundara, Vasudeva, Visnu, Yadava, Yajna,
Yajnapati, Yajna Purusa, Yajnesvara, Yasodanandana,
Yogesvara, Yogi.

Krishnaloka, Goloka Vrndavana, ou *cintamani-dhama* :
Planète où réside éternellement Krishna en compagnie de
Ses purs dévots; c'est la plus élevée de toutes les planètes,
tant matérielles que spirituelles.

Ksatriyas : Administrateurs et hommes de guerre, protec-
teurs de la société; leur groupe constitue l'un des *varnas*.

Kurukshetra : Lieu de pèlerinage tenu pour sacré depuis les
temps les plus anciens de l'ère védique. Il se trouve près
de l'emplacement actuel de New Delhi, en Inde.

L

Laksmi, ou déesse de la fortune : Compagne éternelle du
Seigneur dans Sa Forme de Narayana, sur les planètes
Vaikunthas.

Libération : Affranchissement de l'existence matérielle.

M

Mahabharata : Parfois nommé « le cinquième *Veda* ».
Poème védique relatant l'histoire de *Bharata-varsa*, l'empire
de la Terre jusqu'à il y a 5 000 ans. La *Bhagavad-gita* en
fait partie.

Maha-mantra : (littérat.: le grand *mantra*) Hare Krishna,
Hare Krishna, Krishna Krishna, Hare Hare / Hare Rama, Hare
Rama, Rama Rama, Hare Hare. Préconisé pour l'âge de

Kali par Sri Caitanya Mahaprabhu, qui n'est autre que le Seigneur Suprême, le *maha-mantra* possède le pouvoir non seulement de libérer l'être conditionné de ses tendances matérielles, mais aussi d'éveiller en lui l'amour de Dieu et l'extase de la vie spirituelle.

Mahatma : (littérature: grande âme.) Celui qui comprend au plus profond de lui-même que Krishna est tout, et, de là, s'abandonne à Lui en s'absorbant tout entier dans le service de dévotion. Il est le plus grand des védantistes.

Maha-Visnu : Autre nom de **Karanodakasayi Visnu**.

Maha-yuga : Chacun des mille cycles de quatre âges (*satya-yuga, treta-yuga, dvapara-yuga* et *kali-yuga*), durant chacun 4 320 000 ans, qui couvrent la durée d'un jour de *Brahma*.

Maître spirituel (*guru*) **:** Âme réalisée qui a le pouvoir de guider les humains sur le sentier de la réalisation spirituelle, et ainsi, de les affranchir du cycle des morts et des renaissances. Pour être parfaitement qualifié, il doit être un *acarya*. (Voir **Acarya**)

Manipuspaka : Nom de la conque de Sahadeva.

Mantra : (de *mana*: mental, et *traya*: libération.) Vibration sonore spirituelle qui a pour effet de libérer l'être en purifiant le mental de ses souillures, de ses tendances matérielles.

Mâyâ : (littérat.: ce qui n'est pas, l'illusion.) Énergie illusoire du Seigneur. Sous son influence, l'âme distincte se croit le maître de la création, le possesseur et le bénéficiaire suprême. S'identifiant alors à l'énergie matérielle, c'est-à-dire au corps (aux sens), au mental et à l'intelligence matérielle, oubliant par suite la relation éternelle qui l'unit à Dieu, l'âme, devenue conditionnée par elle, se lance dans la quête des plaisirs de ce monde et s'enchaîne par là de plus en plus au cycle des morts et des renaissances.

Moi spirituel : Identité réelle de l'être distinct; autre nom pour **Âme**.

Murti, *arca-vigraha*, *arca-murti*, ou Forme *arca* : Manifestation de la Forme personnelle de Dieu à travers certains matériaux déterminés, telle qu'on la trouve dans les temples. Krishna, créateur et maître de tous les éléments matériels, apparaît dans cette Forme (qui doit être installée par un maître spirituel qualifié) pour permettre à ceux dont les sens ne sont pas encore purifiés de toute souillure matérielle de Le contempler et de Le servir.

N

Nature matérielle : Autre nom pour **Énergie matérielle**.

O

Om, *aum*, *omkara* ou *pranava* : Vibration sonore spirituelle qui représente la forme impersonnelle de la Vérité Absolue, Sri Krishna; elle est contenue dans le *mantra* Hare Krishna. (Voir également **Om tat sat**)

Omkara : Autre nom pour **Om**.

Om tat sat : Représentation de la Vérité Absolue, Dieu, la Personne Suprême.

P

Paramatma, ou *vibhu-atma* (l'Âme Suprême) : Émanation plénière de Krishna (Bhagavan) qui vit dans le coeur de chaque être, en chaque atome de la création matérielle et même entre les atomes. Il constitue l'aspect « localisé », omniprésent, de la Vérité Absolue, et représente le degré intermédiaire de réalisation de l'Absolu. (Voir **Bhagavan** et **Brahman**)

Parampara :

1.   Voir **Filiation spirituelle**.
2.   On dit d'un guide spirituel, d'un écrit, d'un enseignement, d'une connaissance... qu'ils sont *paramparas* lorsqu'ils s'accordent avec les textes sacrés et les maîtres d'une filiation spirituelle authentique, remontant au Seigneur Suprême, source du savoir.

Passion (*rajo-guna*) : L'un des trois *gunas*. Son influence entraîne, pour celui sur qui elle s'exerce, la convoitise, un grand attachement aux choses de ce monde, des désirs incontrôlables, des aspirations ardentes et, malgré des efforts intenses et constants pour améliorer sa condition matérielle, une insatisfaction perpétuelle. Il est régi par *Brahma*.

Pieds pareils-au-lotus : On dit de Krishna qu'Il a des pieds pareils-au-lotus pour indiquer que:

1. Ses pieds ne quittent jamais Krishnaloka, qui ressemble à une fleur de lotus;
2. Les doigts de Ses pieds sont semblables à des pétales de lotus;
3. La plante de Ses pieds est du rouge de la fleur de lotus et porte en outre la marque d'un lotus;
4. La beauté, la douceur et la fraîcheur de Ses pieds rappellent celles du lotus.

On dit aussi de Krishna, mais également de Ses émanations et de Ses représentants, les purs *bhaktas*, qu'ils ont des pieds pareils-au-lotus pour indiquer que, semblables à la fleur de lotus - qui bien qu'elle se trouve sur l'eau, ou même dans l'eau, n'est jamais mouillée, ils ne sont jamais souillés par l'énergie matérielle, par *maya*, même lorsqu'ils entrent en contact avec elle.

Planètes édéniques, ou planètes de délice : Planètes appartenant au système planétaire supérieur. Les êtres y sont plus évolués, la vie plus longue et les plaisirs matériels beaucoup plus grands que sur les autres planètes de l'univers. Les âmes vertueuses y sont envoyées pour récolter les fruits de leurs bonnes actions. Mais la naissance et la mort y sont également présentes, et pour cette raison, le *bhakta* n'est pas attiré par elles.

Planètes infernales : Planètes appartenant au système planétaire inférieur. L'atmosphère y est particulièrement ténébreuse et démoniaque, et les êtres qui, par leurs actes coupables, gagnent d'y vivre, y mènent une existence de souffrance extrême.

Planètes Vaikunthas : Voir **Vaikunthalokas**.

Prasâdam : (littérat.: grâce, miséricorde.) Généralement, nourriture d'abord offerte au Seigneur. Krishna, parce qu'Il accepte cette nourriture offerte avec amour et dévotion, la consacre et lui donne ainsi le pouvoir de purifier ceux qui en partagent les reliefs. Une telle nourriture n'est pas différente de Krishna Lui-même. On peut également désigner sous ce nom toute manifestation de la grâce du Seigneur.

R

Radharani : Compagne éternelle de Krishna, forme personnelle de Sa puissance interne de félicité. Elle incarne la perfection de l'amour et de la dévotion pour le Seigneur.

Râma :
1. Nom de Krishna, « source intarissable de félicité ».
2. L'*avatara* Ramacandra, exemple du souverain parfait.
3. Autre Nom pour **Balarama**.

Réalisation spirituelle: Il s'agit, d'abord, de comprendre que l'âme, par sa nature éternelle et immuable, toute de connaissance et de félicité, se distingue du corps de matière; puis, dans un second temps, réaliser la Vérité Absolue et retrouver sa relation avec cet Absolu, Dieu, la Personne Suprême, Sri Krishna, en Le servant avec amour et dévotion sous la direction d'un *acarya*; alors la réalisation spirituelle est parfaite.

***Rg-veda*, ou *Rk* :** Une des quatre divisions du *Veda* originel.

Rk* :** Autre nom du ***Rg-veda.

S

***Sac-cid-ananda* :** (de *sat*: éternité, *cit*: connaissance, et *ananda*: félicité.) Caractères propres de la Forme (*vigraha*) spirituelle et absolue du Seigneur Suprême, mais aussi bien de la forme originelle des âmes distinctes, qui participent de Sa nature, et finalement, caractères de l'existence spirituelle en soi.

Sakuni : Oncle maternel d'Arjuna.

Samadhi : (littérat.: absorption du mental.)
1. État d'extase parfaite atteint par l'absorption totale dans la conscience de Krishna.
2. Dernière des huit étapes de l'*astanga-yoga*, qui correspond à la réalisation spirituelle.

Sama-veda, ou *Sama* : Une des quatre divisions du *Veda* originel.

Sankara : Autre nom pour Siva, le plus important des onze Rudras, duquel émanent d'ailleurs tous les autres.

Sannyasa :
1. Renoncement aux fruits de l'acte dans l'accomplissement du devoir.
2. Quatrième et dernière étape de la vie spirituelle (voir **Asrama**); renoncement total à toute vie familiale et sociale dans le but de maîtriser parfaitement les sens et le mental, et de s'engager pleinement dans le service de Krishna.

Sannyasi :
1. Le dévot de Krishna, qui renonce à tout pour servir le Seigneur.
2. Celui qui vit selon les normes du *sannyasa*. (Voir **Sannyasa**)

Sens : Les cinq sens: l'ouïe, le toucher, la vue, le goût et l'odorat. Mais aussi, dans une acception plus large, les dix organes des sens: cinq de perception (les oreilles, la peau, les yeux, la langue et le nez) et cinq d'action (la bouche, les bras, les jambes, les organes génitaux et l'anus).

Service de dévotion : Voir **Bhakti-yoga**.

Sri Isopanisad : Autre nom de l'**Isopanisad**.

Srimad-Bhagavatam, *Bhagavata Purana*, ou *Mahapurana* : Écrit védique relatant les Divertissements éternels de Krishna, le Seigneur Suprême, et de Ses purs dévots. Il constitue le commentaire originel, par son auteur (*Vyasa-deva*), du *Vedanta-sutra*, et est dit être la "crème" de toutes les Écritures védiques.

Svami : Autre nom pour **Gosvami**. (Voir **Gosvami 1**)

T

Tulasi : Grande dévote de Krishna, qui prend la forme d'une plante. Cette plante est chérie de Krishna; on en offre toujours les feuilles aux pieds pareils-au-lotus du Seigneur, et ce, de manière exclusive.

U

Univers :
1. Entière manifestation matérielle, qui compte d'innombrables univers.
2. Sphère close entourée de sept couches de matière et renfermant quatorze systèmes planétaires, comptant chacun d'innombrables planètes.

Upanisads : Écrits védiques, au nombre de 108, constituant la partie philosophique des *Vedas*.

V

Vaibhasika : École philosophique, apparentée au bouddhisme, selon laquelle la vie est le produit d'une combinaison d'éléments matériels à un certain stade de leur évolution.

Vaikuntha : (de *vai*: exempt de, et *kuntha*: angoisse.) Le royaume spirituel, où tout est *sac-cid-ananda*, plein d'éternité, de connaissance et de félicité.

Vaikunthalokas (planètes Vaikunthas) : Planètes éternelles situées dans le royaume de Vaikuntha, le monde spirituel. Krishna règne sur chacune dans Sa Forme de Narayana.

Vaisnava : Celui qui voue sa vie à Visnu, ou Krishna, le Seigneur Suprême; autre nom pour **Bhakta**.

Vedanta : (littéralt: le sommet, la conclusion du savoir.) L'essence de toute la philosophie védique, telle qu'elle est contenue dans les *Vedanta-sutras*, puis dans le *Srimad-Bhagavatam*, qui enseignent la plus haute réalisation de la Vérité Absolue, soit l'abandon au Seigneur Suprême, Sri Krishna.

Vedanta-sutra : ou *Brahma-sutra*: Grand traité philosophique de Vyasadeva, constitué d'aphorismes (*sutras*) sur la nature de la Vérité Absolue, et composé en guise de conclusion aux *Vedas*.

Védas :

1. Le *Véda* originel, divisé en quatre parties (le *Rk*, le *Yajus*, le *Sama* et l'*Atharva*).
2. Autre nom pour les **Ecritures védiques** prises dans leur ensemble.

Vertu : (*sattva-guna*): L'un des trois *gunas*. Son influence entraîne, pour celui sur qui elle s'exerce, la connaissance, le bonheur, la pureté, la maîtrise des sens, la sérénité, l'humilité et la modération. Il est régi par Visnu.

Visnu :

1. Nom de Krishna, « le soutien de tout ce qui est ».
2. Nom générique des divers *purusa-avataras*. (Voir **Purusa-avataras**) Egalement, divinité de la vertu (*sattva-guna*).

Visnu-murti : Manifestation plénière de Krishna dans le coeur de chaque être.

Visnu-sakti : L'ensemble des énergies du Seigneur Suprême.

Visnu-tattva : Catégorie des manifestations divines, émanations plénières ou émanations d'émanations plénières de Dieu, la Personne Suprême, qui n'ont avec Lui aucune différence, par opposition au *jiva-tattva*. (Voir **Émanation plénière**)

Visva-rupa, ou *virata-rupa* : La forme universelle du Seigneur Suprême, Sri Krishna, dans l'univers matériel. Elle est constituée de l'entière manifestation cosmique.

Vrndavana : Village de l'Inde où Krishna dévoila Ses Divertissements spirituels et absolus en compagnie de Ses purs dévots, il y a 5 000 ans. Il n'y a pas de différence entre ce lieu terrestre et Goloka Vrndavana, dans le monde spirituel, mais une telle vision n'est accessible qu'à celui qui s'est purifié par le service de dévotion.

Y

Yamunâ : Rivière sacrée dont les eaux coulent à travers Vrndavana.

Yoga : (littérat.: union avec l'Absolu, Dieu.)

1. Toute méthode qui permet de maîtriser le mental et les sens et d'unir l'être distinct à l'Être Suprême, Sri Krishna.
2. Autre nom pour l'***Astanga-yoga*** et ses nombreux dérivés.

Yoga-mayâ : Puissance interne de Krishna, qui Le voile, Le rend inaccessible au commun des hommes. Également, puissance par laquelle le Seigneur Se révèle partiellement à Son pur dévot, lui voilant Sa nature divine.

Yogi :

1. Spiritualiste de premier, deuxième ou troisième niveau, qui correspondent respectivement au *bhakta*, au yogi (voir Yogi 2) et au *jnani*, ou, selon une autre classification, au *bhakta*, au *paramatmavadi* et au *brahmavadi*.
2. Spiritualiste de second niveau, adepte de l'*astanga-yoga* ou d'un de ses dérivés.
3. Adepte du yoga, dans son acception la plus générale.
4. Nom de Krishna, "le yogi suprême".

Yuga : Chacun des quatre âges d'un *maha-yuga*. (Voir **Maha-yuga**)

LISTE D'OUVRAGES TRADUITS EN LANGUE FRANÇAISE

- La *Bhagavad-gita* telle qu'elle est
- Le Srimad-Bhagavatam
- Le Sri Caitanya-caritamrta
- Le Livre de Krishna
- Le Nectar de la Dévotion
- La Sri Isopanisad
- L'Upadesamrta
- Antimatière et Éternité
- Entretiens à Moscou: Conscience et Révolution
- Chants Vaisnavas
- Solution pour un Âge de Fer
- Par Delà la Naissance et la Mort
- La Vie vient de la Vie
- Prabhupada: La vie et l'œuvre du fondateur
- Renaître
- Le Goût Supérieur
- Questions Parfaites, Réponses Parfaites
- La Perfection du Yoga
- Vie et Préceptes de Sri Chaytanya

De nombreux autres titres sont aussi disponibles en langue anglaise et plusieurs de ces ouvrages existent en plus de 75 langues.

Pour obtenir un catalogue complet des ouvrages disponibles en français, adressez-vous au centre le plus proche (voir la liste des adresses en dernière page du livre).

Le Livre de Kṛṣṇa

Ces courts récits sur la vie de Kṛṣṇa fascinent
l'Inde depuis des siècles. Ils peuvent être
appréciés par toute la famille.

Disponible en deux volumes.

Vol. 1, 530 pages, 16 illustrations couleur
Vol. 2, 502 pages, 16 illustrations couleur

Le Caitanya-caritāmṛta

La vie et les enseignements de Śrī Caitanya, grand
maître et *avatāra*, instaurateur au 16e siècle d'un
mouvement social et religieux d'importance
considérable.

L'ouvrage est une contribution majeure à la vie
intellectuelle, culturelle et spirituelle de l'homme
contemporain.

Disponible en huit volumes, chacun d'environ 1 000
pages, avec 16 illustrations couleur, couverture rigide

Questions Parfaites Réponses Parfaites

Sur les bords du Gange, dans une hutte en bambou
de la terre sainte de Māyāpura, un jeune coopérant
américain questionne un maître de la sagesse
millénaire de l'Inde.

Couverture rigide, 144 pages

Prabhupāda

La vie et les enseignements de Śrīla Prabhupāda, fondateur du Mouvement International pour la Conscience de Kṛṣṇa.

500 pages, 16 illustrations couleur

Le Goût Supérieur

Ce livre démontre avec clarté les bienfaits du végétarisme.

– Une meilleure santé et un mode de vie plus pur
– Une alimentation plus économique
– Une existence fondée sur le respect de la vie

Il contient 56 recettes culinaires et une étude sommaire des raisons pour lesquelles un nombre croissant de personnes adopte le végétarisme.

Couverture rigide, 160 pages

La Vie Vient de la Vie

Un défi à la théorie de l'évolution

Ce dialogue entre Śrīla Prabhupāda et ses disciples dévoile les faiblesses de la science moderne et expose les bases scientifiques de la connaissance védique.

C'est un livre démystifiant les conceptions matérialistes sur les origines de la vie.

Format de poche, 160 pages

LA PERFECTION DU YOGA

L'être connaît la perfection du yoga, le *samadhi*, par la pratique, parvient à soustraire son mental de toute activité matérielle. Une fois le mental purifié, il réalise son identité véritable et goûte la joie intérieure.

Couverture couleur, 80 pages

LE MONOTHÉISME DANS TOUTE SA SPLENDEUR

Ce livre relate la découverte du charme mystique d'un grand personnage énigmatique qu'est Sri Krishna-Caitanya, dont il est le point de départ de la succession displique remontant à l'époque médiévale.

Couverture épaisse, 292 pages

LE MAHABHARATA DU SAGE VYASADEVA

Ce trésor prend une place de fait plus importante que les Védas originels. Ces pages couvrent le *Bhagavad-Gita* résumant tous les Védas.

Couverture couleur, format 21 cm X 27,50 cm, 336 pages

VIE ET PRÉCEPTES DE SRI CHAITANYA
L'avatar de l'Amour de Dieu
(Sri Bhaktivinode Thâkour)
Préface de Bhaktivinode Thâkour datée le 20 août 1896.

Couverture couleur, format 13,50cm X 21cm, 57 pages

CENTRES DE BHAKTI-YOGA
DES PAYS FRANCOPHONES

Tous les centres sont ouverts en permanence.
Chaque dimanche après-midi, une grande fête à laquelle nous vous
convions y est organisée, avec musique et chants spirituels, exposé
philosophique et dégustation de nourriture spirituelle.

BELGIQUE
Radhadesh
Château de Petite Somme 5
6940X Septon, Belgique
+32 86 32 29 26
www.radhadesh@com

CANADA
ISKCON Montréal
1626 boul. Pie IX
Montréal, Québec H1V 2C5 CANADA
iskconmontreal@bellnet.ca
514-521-1301

FRANCE
Communauté rurale
La Nouvelle Mayapura
36360 Luçay-le-Mâle, France
+33(0)2 54 40 23 95
haribol@wanadoo.fr

SUISSE
Temple de Krishna
Bergstrasse 54
8030 Zurich, Suisse
+41(0) 44 262 3388
kgs@pamho.net

Pour plus d'informations, veuillez envoyer le coupon,
à la page suivante, au centre le plus proche de chez vous

----✂--

Je désire, sans obligation aucune, recevoir gratuitement plus d'informations sur le programme de comment chacun peut atteindre le but ultime de l'existence en créant chez soi une atmosphère propre au service de dévotion :

❑ Le catalogue des livres disponibles ou
❑ Un fascicule d'informations générales

Nom : ....

Adresse : ....

Ville : .... Province : ....

Code postal : .... Pays

....

Courriel : ....
(Facultatif)
Téléphone : .... Fax :...................................
(Facultitifs)

-10% Offre spéciale !
Avec ce coupon, vous bénéficierez
un rabais substantiel sur tous les produits
pour les résidents du Canada

ISKCON Montréal
1626 boul. Pie IX
Montréal, Québec H1V 2C5 CANADA

Dépôt légal :
Bibliothèque nationale du Québec
Bibliothèque nationale du Canada
ISBN : 2-922202-28-3